Os 100 Segredos dos Bons RELACIONAMENTOS

David Niven, Ph.D.

Os 100 Segredos dos Bons RELACIONAMENTOS

Descobertas simples e úteis dos estudos científicos sobre os casais felizes

3ª Edição

SEXTANTE

preparo de originais
Regina da Veiga Pereira
Tomás da Veiga Pereira

tradução
Simone Lemberg Reisner

revisão
Antonio dos Prazeres
Denise Coutinho Koracakis
Sérgio Bellinello Soares

capa
Raul Fernandes

diagramação e projeto gráfico
Valéria Facchini de Mendonça

fotolitos
R. R. Donnelley América Latina

impressão e acabamento
Yangraf Gráfica e Editora Ltda.

CIP-BRASIL. CATALOGAÇÃO-NA-FONTE
SINDICATO NACIONAL DOS EDITORES DE LIVROS, RJ.

N653c Niven, David, 1971 –
Os 100 segredos dos bons relacionamentos / David Niven ; tradução de Simone Lemberg Reisner. – Rio de Janeiro : Sextante, 2003

Tradução de: The 100 simple secrets of great relationships
ISBN 85-7542-078-X

1. Relação homem-mulher. 2. Casamento – Aspectos psicológicos. 3. Amor. 4. Casais. 5. Compromisso (psicologia) 6. Relações humanas.
I. Título.

03-1521. CDD 155.645
CDU 159.9-058.833

Rua Voluntários da Pátria, 45 – Gr. 1404 – Botafogo
22270-000 – Rio de Janeiro – RJ
Tel.: (21) 2286-9944 – Fax: (21) 2286-9244
Central de Atendimento: 0800-22-6306
E-mail: atendimento@esextante.com.br
www.sextante.com.br

Sumário

Introdução

Eu estava fazendo uma palestra para um grupo de pessoas da terceira idade num centro de recreação de Delray Beach, na Flórida. Na platéia havia pelo menos duas dúzias de pessoas que estavam casadas há três décadas ou mais. Quando souberam que eu estava trabalhando com conclusões de pesquisas sobre relacionamentos, vários comentários surgiram.

Aquelas pessoas discordavam sobre inúmeros pontos, mas todas concordaram quando um homem disse: "Nenhum assunto jamais originou tantos conselhos equivocados." Apareceram histórias de casais que estavam juntos há quarenta ou cinqüenta anos, apesar de terem ouvido de amigos que seus casamentos não durariam seis meses. Uma mulher contou que a própria mãe lhe dissera, no dia de seu casamento, que não acreditava que ela ainda estivesse casada dali a seis semanas.

"A família e os amigos não encorajam os jovens a passarem o resto da vida juntos, só sabem preveni-los", disse uma senhora. "Só avisam que será difícil e problemático. Partem do pressuposto que o relacionamento não vai durar muito. São poucos os que dão força para que as crises sejam superadas."

Essas pessoas mostraram-se desejosas de dividir suas experiências com os filhos, netos ou quem quisesse se beneficiar da sua experiência. Seus comentários, porém, eram geralmente envolvidos por uma aura de otimismo e de certezas quanto aos seus próprios relacionamentos – otimismo que estava em completo contraste com as palavras negativas que ouviram em sua juventude.

Entre os vários pontos que me aconselharam incluir no livro estavam:

- Construam um modo de vida feliz, que inclua algum tempo juntos e algum tempo separados.
- Tenham paciência, estabeleçam comunicação e compromisso.
- Conversem sempre sobre quaisquer problemas que surjam.
- Não sejam egoístas. Coloquem-se no lugar do outro.
- Tenham senso de humor, uma forte ética no trabalho e amor pela família.
- Digam "desculpe", "obrigado" e "me esqueci".
- Tenham respeito mútuo.
- Apreciem a companhia um do outro.
- Trabalhem juntos pela verdade, o bem e o belo.
- Respeitem as características um do outro e compreendam as diferenças.
- Demonstrem admiração um pelo outro.
- Digam sempre boa-noite, mesmo que ainda estejam aborrecidos com alguma coisa.

Expliquei a todos que estaria trabalhando com base em descobertas resultantes de estudos científicos sobre relacionamentos e eles me disseram que poderia voltar ali a qualquer hora se precisasse de mais alguma orientação.

Este livro apresenta as conclusões de cientistas que estudaram os relacionamentos, hábitos de namoro e casamento de milhões de pessoas. Cada capítulo apresenta a descoberta científica, um exemplo desse princípio, tirado da vida real, e o conselho básico que o leitor deve seguir para aumentar a satisfação em seus relacionamentos.

Enquanto realizava a pesquisa para este livro, vasculhando milhares de relatórios sobre o assunto, deparei-me com estudos confirmando muitas das idéias que as pessoas do centro recreativo haviam compartilhado comigo. Embora o mundo tenha mudado de inúmeras maneiras desde que eles se casaram, nada mudou no que se refere à necessidade fundamental de relacionar-se e ao que as pessoas desejam alcançar com seus relacionamentos. E, para alento dos meus amigos daquele centro para a terceira idade, essas descobertas não são pessimistas. A grande conclusão das pesquisas feitas está de total acordo com a sabedoria de um daqueles senhores, que disse: "Demanda esforço. Não é fácil. Mas qualquer um consegue. Olhe para mim, por exemplo."

1

As pequenas coisas são as mais importantes

Os picos da vida podem ser maravilhosos, as profundezas da vida, dolorosas, mas o dia-a-dia não é nem um nem outro. Nós não definimos nossos relacionamentos com base nos melhores nem nos piores dias, mas nos dias comuns. Invista nas relações com sua família diariamente, através de pequenos gestos atentos e generosos, e você estará construindo um relacionamento de bases sólidas.

☺ ☺ ☺

Bill, Kelly e seus cinco filhos moram numa pequena propriedade, onde Bill cresceu trabalhando a terra com o pai. Plantavam milho e soja. Tiveram anos de abundantes colheitas, festejadas alegremente, onde tudo parecia correr bem para a família.

No entanto, sucessivos problemas geraram tensões no trabalho e começaram a trazer problemas para o casal. Despesas enormes e pouco lucro com as colheitas deixavam Bill ora taciturno, ora furioso.

"Eu estourava com a maior facilidade, por coisas mínimas", disse ele. "Se alguma coisa estava fora do lugar ou não fosse feita, eu ficava irritado e descarregava minha raiva em cima da família." Como muitos fazendeiros, Bill resistia à idéia de procurar ajuda. Orgulhoso, ele se achava forte o bastante para lidar com seus próprios problemas.

"Eu olhava pela janela e pensava: 'O que vou fazer para conseguir mais terras e ganhar a vida?' Mas não havia nenhuma resposta. Então, descontava nas pessoas ao meu redor." A vida foi ficando um tal inferno para todos que Bill decidiu finalmente aceitar ajuda: "Senti que não poderia mais resolver sozinho todos os problemas."

Bill recebeu aconselhamento através de um programa estadual, que começou como um meio de dar orientações sobre agricultura e acabou se expandindo até oferecer ajuda para lidar com as enormes tensões pessoais que os fazendeiros enfrentavam.

Kelly e Bill participaram de sessões de aconselhamento através desse programa. "Ainda enfrentamos adversidades e muitos problemas, mas não é como antes", explicou Kelly. Bill disse que está aprendendo a lidar com o estresse de maneira mais efetiva. "Não fico zangado como costumava ficar. Cheguei à conclusão de que é importante preservar pelo menos a harmonia do núcleo familiar. Agora, penso antes de reagir. Procuro não dar um peso excessivo aos problemas."

☺ ☺ ☺

Em entrevistas com casais que estão juntos há muito tempo, nove entre dez definiram seu casamento não em relação aos melhores ou piores acontecimentos de suas vidas, mas em relação aos acontecimentos do dia-a-dia.

Appleton e Bohm, 2001

2

Veja possibilidades onde os outros vêem obstáculos

Em qualquer relacionamento é possível encontrar indícios de que ele vai florescer ou, simplesmente, não vai funcionar. Até os melhores e mais fortes relacionamentos passam por problemas que os colocam em risco. E até nos relacionamentos mais frágeis se encontram razões para acreditar que eles podem acabar dando certo. A verdadeira questão é: a quais desses sinais devemos estar mais atentos? Se nos concentrarmos nos pontos negativos, o relacionamento será enfraquecido. Mas, se nos concentrarmos nos pontos positivos, poderemos fortalecê-lo.

☺ ☺ ☺

Talvez o exemplo fundamental de amor e devoção seja a superação das diferenças religiosas e políticas: Pam é judia, Adil é muçulmano e eles estão casados e felizes há mais de uma década.

Adil falou do esforço permanente que precisa fazer: "As discussões políticas podem nunca ter fim, mas quando percebemos que divergências podem envenenar nosso relacionamento, fazemos um esforço para superá-las e valorizar nossa vida afetiva, nosso aqui e agora."

Quando se conheceram, Adil desejava convidar Pam para sair, mas temia que ela não quisesse se envolver com um muçulmano. "Lembro-me da tensão que senti, imaginando se deveria ir logo dizendo que era muçulmano", lembrou-se ele.

"Eu tinha plena consciência das nossas diferenças", contou Pam.

"Mas achei que teria coragem para lidar com elas." Foi preciso muita coragem e determinação, pois, embora os pais de ambos acabassem por apoiá-los, a sociedade onde o casal escolheu viver não o fez.

"As pessoas colocam rótulos", salientou Pam. "Aonde quer que você vá, em vez de nos verem como pessoas que se amam e querem acertar, vão logo dizendo que um é judeu, o outro é árabe, como se fossem realidades incompatíveis. Em vez de nos ajudarem a viver, nos obrigam a enfrentar um número incontável de reações, críticas e insultos."

Como se amam muito, Adil e Pam têm trabalhado para vencer as diferenças entre as duas culturas e poder existir como um casal, sem se esconder. Símbolos e sons de coexistência permeiam sua casa. O armário da sala de jantar exibe um Alcorão ao lado de um menorá. A família celebra os feriados judaicos e muçulmanos.

"É possível fazer com que dê certo", afirmou Pam. "Um casal determinado e firme consegue sobreviver. Se tivéssemos pensado apenas nas dificuldades, não teríamos nada. Mas enxergamos além delas e agora temos tudo o que realmente importa."

"Se o nosso relacionamento sugere algumas palavras sobre como dois mundos podem existir em harmonia, estas palavras são diálogo e concessão", disse Adil. "São as palavras mágicas."

☺ ☺ ☺

Em uma experiência realizada com casais que vivenciavam conflitos, pediu-se à metade deles para conversar sobre a melhor parte de seu relacionamento, e a outra metade, sobre a pior.

Os casais que falaram sobre a melhor parte reduziram em quinze por cento seu nível de estresse, enquanto os que discutiram os aspectos negativos viram seu nível de estresse aumentar quarenta e oito por cento.

Sullivan, 2001

3

Estabeleça regras para os conflitos

Em todo relacionamento há desavenças, mas o número e a profundidade delas variam imensamente. Vocês nunca vão concordar em tudo e nem devem tentar. Mas há algo que irá ajudá-los a reduzir a dor dos desentendimentos: a escolha de um método para as discussões. Não é raro encontrar duas pessoas num relacionamento com idéias completamente diferentes sobre como lidar com conflitos. Algumas enfrentam o problema assim que ele se apresenta, outras preferem fazer insinuações sobre o problema sem citá-lo diretamente, outras ainda tentam evitar o assunto e até o evento que o causou. O problema surge quando duas pessoas que se relacionam adotam abordagens diferentes. Elas acabam tendo de lidar não apenas com o conflito, mas com a tensão que a diferença em suas abordagens acaba por causar. Encontre um equilíbrio, decidindo a melhor maneira de debater seus problemas.

☺ ☺ ☺

John teve pais autoritários, que o castigavam severamente sempre que ele cometia o que consideravam um erro. Isso desenvolveu em John uma reação instintiva de defesa ante qualquer coisa que lhe soasse como acusação. June, pelo contrário, fora criada numa família em que dominava o diálogo e o respeito aos filhos. Mas ela tinha uma característica que afetava especialmente o marido: era veemente na forma de falar.

Como os dois se casaram muito apaixonados, essas características só vieram a criar atrito com o passar do tempo. Sempre que se tratava de administrar uma diferença, John ouvia as observações da mulher como se fossem acusações e reagia com agressividade. E se algum problema o incomodava, a tendência era negá-lo, na esperança de que acabasse se resolvendo sozinho. O problema, é claro, não se resolvia, e como June não tinha chance de perceber o quanto uma atitude sua incomodava o marido, o desgaste ia aumentando.

Quando os dois se deram conta de que o amor que os fizera tão felizes parecia estar se esvaindo, assustaram-se e acabaram procurando um aconselhamento. Não foi fácil, porque a maneira de ser de cada um estava bastante estruturada. Mas como havia um enorme desejo de acertar, resolveram investir no processo. John, aos poucos, foi tomando consciência de que, embora June fosse uma esposa amorosa e compreensiva, ele ouvia suas reclamações – feitas muitas vezes com veemência – como se viessem dos pais que o tinham maltratado. Ela, por sua vez, percebeu que sua forma de falar criava no marido uma resistência que o impedia de escutar o que ela dizia.

Finalmente chegaram a um acordo. Quando June quer reclamar de alguma coisa, ela faz inicialmente um preâmbulo – da forma mais suave possível – dizendo que aquilo que vai falar é motivado pelo amor que ela tem por John e pelo desejo de que vivam felizes. Isso cria no marido uma predisposição para ouvir sem se sentir acusado. Combinaram que, uma vez por mês, irão sair para conversar e que John terá que responder a seguinte pergunta: "O que podemos fazer para melhorar o nosso relacionamento?" Desta forma, ele consegue mais facilmente falar dos problemas que o perturbam. Se June se expressa de forma veemente, John coloca sua mão sobre a dela: é o código que adotaram para sinalizar que aquele jeito de falar não vai levar a nada. Na maioria das vezes, ela pára, respira fundo e consegue achar graça de si mesma. A vida dos dois melhorou muito, o que não significa que, de vez em quando, não caiam nas atitudes anteriores. Mas agora estão conscientes delas e, como querem muito acertar, empenham-se em manter o acordo inicial, o que inclui – em momentos de crise – uma visita ao terapeuta que os ajudou a romper o ciclo de incompreensão.

☺ ☺ ☺

Embora as pessoas possam empregar uma variedade de estratégias diferentes para solucionar os conflitos, quando ambos os parceiros usam a mesma estratégia, experimentam doze por cento menos conflitos e têm chances trinta e um por cento maiores de se considerarem satisfeitos com o relacionamento.

Pape, 2001

4

Senso de humor ajuda

Uma boa piada pode abrilhantar o dia, trazendo alegria a quem conta e a quem escuta. Num relacionamento, um bom e saudável senso de humor torna mais alegres os dias comuns e diminui o fardo dos dias ruins. Mas, atenção: piadas negativas e sarcásticas só servem para alimentar as tensões.

☺ ☺ ☺

Viva e Jerry estão casados há mais de quarenta anos. "Quando nos conhecemos", contou Viva, "Jerry era um rapaz tão sisudo que, aos vinte anos, já tinha uma ruga de expressão entre as sobrancelhas. Vivia preocupado com os problemas e tudo para ele adquiria uma dimensão trágica. Mas eu logo descobri que se tratava de uma pessoa boa, gentil e extremamente solidária, e me apaixonei por ele."

"Acho que, justamente por ser uma pessoa tão preocupada, eu me encantei com a alegria de Viva. Ela tinha um sorriso lindo, que conserva até hoje, e tornava qualquer problema mais leve, fazendo graça e contando piadas para me distrair", diz Jerry. "Com nossos filhos ela agiu da mesma maneira. Nossa vida não foi fácil, passamos por crises financeiras sérias, mas Viva fazia milagres, nunca deixando que um clima de abatimento e desânimo se instalasse em nossa casa."

Viva completa: "Só para não dar a impressão de que foi tudo um mar-de-rosas, houve momentos difíceis, em que a depressão e o mau humor de Jerry me contagiavam e eu me sentia bastante irritada. Mas fui abençoada com uma alegria interior que se rebela contra a tristeza e que sempre quer ver o lado positivo das coisas. No final do filme *Tempos Modernos,* de Chaplin, o casal que viveu terríveis problemas vai se afastando de mãos dadas ao som da música *Smile* (Sorria). Quando vi aquele filme, tive certeza de que aquela era a escolha que eu queria fazer na vida. Acho que qualquer pessoa pode fazer essa escolha, mesmo que custe um certo esforço, porque o resultado é extremamente positivo, e parece que o universo nos responde com coisas boas quando somos capazes de sorrir para ele."

Jerry passa a mão nas rugas da testa, acaricia a mão da mulher e conclui: "Tive a melhor das professoras, a mais paciente com este aluno rebelde. Vou morrer aprendendo, mas agradeço a Deus a alegria que Viva trouxe para a minha vida."

☺ ☺ ☺

Nos casais em que os dois parceiros achavam que o outro possuía um bom senso de humor foram relatados sessenta e sete por cento menos conflitos, se comparados a casais nos quais nenhum dos dois achava que o outro possuía um bom senso de humor.

De Koning e Weiss, 2002

5

Não depende do quanto você se esforça

"Vou trabalhar pelo meu relacionamento." "Vou me dedicar de corpo e alma a esse processo." É claro que investir no relacionamento e dedicar-se intensamente a ele só pode trazer benefícios. Mas o simples fato de se esforçar muito não é receita de sucesso. Na verdade, um esforço máximo pode ser uma grande fonte de frustração e de dor quando não é recompensado com a melhora desejada. Trabalhe pelo seu relacionamento com sabedoria, com objetivos significativos que contribuam para a saúde e a felicidade dessa relação. Dedique-se com lógica e bom senso, e não apenas com esforço.

☺ ☺ ☺

Nicole olhou em torno de si: a sala estava coberta das flores enviadas pelo marido, em busca de uma reconciliação, depois de tê-la ofendido com palavras agressivas. Pensou nas jóias que tinha ganho em ocasiões semelhantes, nas viagens que fizeram juntos buscando superar as crises. Suspirou desanimada e, sofrendo, constatou que seu casamento estava acabado.

Inúmeras vezes ela tentara explicar ao marido que todo aquele investimento material não compensava a extrema solidão em que se sentia, mesmo quando estava ao seu lado. Não havia diálogo, mas monólogos paralelos. Estavam sempre cercados por pessoas que ele chamava de amigos, mas com quem não tinham relação mais profunda. As festas se multiplicavam, e ela mais se atordoava do que se divertia. E quando lhe diziam "Mas você tem tudo!", ela pensava melancólica que trocaria o "tudo" por momentos de intimidade, em que se sentisse ouvida, acolhida, compreendida. Todo aquele esforço fora em vão, pois não lhe dera o que ela realmente desejava para viver um relacionamento feliz.

☺ ☺ ☺

As pessoas que afirmaram estar fazendo um enorme esforço para melhorar o relacionamento tinham chances trinta e três por cento menores de serem felizes do que as que afirmaram estar fazendo um esforço consciente para melhorar o relacionamento.

Hairston, 2001

6

Não há nada para se invejar

Quem deseja encontrar um parceiro, sem dúvida fica entusiasmado quando conhece uma pessoa com grande sucesso profissional. Entretanto, num relacionamento, as pessoas costumam descobrir que sentem inveja do sucesso de seu parceiro. Elas começam a se comparar com o outro e a ver o êxito do parceiro como um fracasso pessoal. Isso não faz bem a ninguém. Não existe nenhum troféu para o parceiro que se sai melhor. O verdadeiro prêmio vai para aqueles que se recusam a competir com o outro. Este prêmio é a satisfação e um relacionamento mais feliz.

☺ ☺ ☺

Nos anos trinta, quando George Burns e Gracie Allen uniram-se pela primeira vez no palco para atuar numa comédia, ele era o ator experiente e ela, uma novata. Por isso, George assumiu o comando e, colocando Gracie num plano secundário, contou todas as piadas. Foi um desastre. "A foca treinada ganhou mais aplausos", disse ele.

Na noite seguinte, George trocou as falas e Gracie ficou com a parte engraçada. O resto faz parte da história do mundo de espetáculos dos Estados Unidos. Cada um descobriu o papel em que era mais talentoso, e o casal foi um grande sucesso.

Primeiro no palco, depois no rádio e, mais tarde, na televisão, Gracie foi o centro das atenções, contando todas as piadas, enquanto George preparava o terreno para as falas da mulher.

Para George Burns, colocar-se fora dos holofotes e dar a Gracie o papel principal do espetáculo foi uma atitude de extrema sabedoria: "Gracie possuía um talento que o público adorava. O meu talento era outro: eu sabia escrever, ela sabia como dizer. Só conseguimos ser felizes como casal e como pessoas quando nos demos conta das características de cada um e eu deixei de competir com ela."

Ficaram casados durante quarenta anos, até a morte de Gracie. George Burns sempre quis que a mulher fosse reconhecida como a estrela das apresentações. Como ele mesmo dizia, "Nossos talentos somados fizeram nosso sucesso".

☺ ☺ ☺

As pessoas que experimentam um sentimento de competição com seus parceiros têm chances trinta e sete por cento menores de sentirem que estão vivendo um relacionamento feliz.

Romero-Medina, 2001

7

Um bom relacionamento requer equilíbrio

Os relacionamentos desmoronam sob o peso do desequilíbrio. Nenhum dos dois parceiros pode ser mais importante. Nenhum dos dois pode ficar sempre mais envolvido ou empenhado do que o outro. Nenhum dos dois pode tomar todas as decisões. Nenhum dos dois pode fazer todos os sacrifícios. Em um relacionamento saudável, ninguém desempenha o papel principal, pois sem equilíbrio não existe relacionamento.

☺ ☺ ☺

Ele é advogado. Ela é dona de uma imobiliária. Eles valorizam um ao outro, valorizam a igualdade entre homens e mulheres, e hoje consideram que atingiram um equilíbrio saudável em seu relacionamento. Mas, para chegar a esse ponto, Susan e Trevor, casados há oito anos, passaram bastante tempo discutindo sobre a responsabilidade com as tarefas domésticas.

Trevor tinha perfeitamente consciência de que Susan assumia quase totalmente as tarefas domésticas, da limpeza às compras e aos cuidados com os dois filhos pequenos. Não era por preguiça que ele deixava de ajudar, Trevor apenas reproduzia o que vira ser feito por seus pais. Só que Susan não aceitava a situação e isso causava muitos conflitos.

"Os projetos dele eram sempre mais importantes", disse Susan. "Mesmo que eu tivesse um compromisso, antes tinha que buscar as crianças, ajeitar algumas coisas e assim por diante."

Até o dia em que Trevor cuidou de um caso que mudou sua maneira de ver as coisas. "Uma fábrica tinha duas maneiras de contratar empregados. Os homens iam automaticamente para uma escala de salários mais elevados e que oferecia maior variedade de trabalho. As mulheres iam automaticamente para uma escala de salários mais baixos, na qual o trabalho era extremamente repetitivo. No primeiro dia, cada uma recebia suas funções e não havia chances de troca. Nunca. Uma mulher que fosse capaz de fazer tudo o que um homem fazia, e ainda mais, continuava na escala de salário inferior, com um trabalho menos agradável." Ao defender as mulheres que alegavam que esse sistema as discriminava, Trevor viu-se obrigado a reexaminar sua vida em família.

"Fiquei bastante impressionado. Quer dizer, eu sabia da situação, mas não havia parado para refletir que, quando uma emergência aparece, Susan é quem tem de resolver. Se nossa filha está doente, o dia de Susan é sacrificado. Se o carro precisa ir para a oficina, é Susan quem tem que mudar sua rotina. Concluí que não havia justificativa para que ela assumisse sempre essas tarefas."

A tomada de consciência de Trevor gerou um novo sistema no qual Susan e ele se revezam na responsabilidade pelas tarefas, e Trevor divide com Susan as tarefas que ela não gosta de fazer. Com isso adquiriram um equilíbrio no relacionamento que contribuiu para o crescimento de cada um e para a felicidade da família.

☺ ☺ ☺

Os relacionamentos nos quais os parceiros se vêem como iguais na tomada de decisões, nos sacrifícios pelo relacionamento e na divisão das tarefas domésticas têm chances duas vezes maiores de durar do que os relacionamentos nos quais esses fatores não são iguais.

Gilbert e Walker, 2001

8

Não se prenda às tradições

Quantas vezes já ouvimos pessoas mais velhas nos contarem sobre como agiam no passado? Quando somos expostos a idéias e comportamentos tradicionais, ficamos tentados a achar que eles devem ser imitados, sobretudo se as pessoas que os transmitem têm autoridade sobre nós. Entretanto, com o passar do tempo, os padrões de relacionamento evoluíram imensamente. Para que uma relação funcione e floresça, devemos viver segundo nossos próprios padrões e não de acordo com aqueles que, às vezes, as pessoas tentam nos impingir.

☺ ☺ ☺

Jaime considerava-se um bom marido e pai. Ele trabalhava até tarde, sustentava sua família, mas tinha pouco tempo para eles. Nos dias de folga saía para jogar com os amigos e sua atitude para com a mulher e os filhos era "Não me perturbem".

Um dia, ao folhear um velho álbum de retratos, ele reviveu o sentimento de rejeição que lhe causava seu próprio pai quando chegava em casa tarde do trabalho. "Parecia que ele não tinha vontade de estar ali com mamãe e os filhos." Nesse momento, Jaime percebeu que estava repetindo o mesmo ciclo.

Ao conversar com os amigos, verificou que muitos deles tinham vivido a mesma experiência. "Meus amigos me contam que passavam dias sem ver o pai. O papel do homem era de provedor, e cabia à mulher tomar conta dos filhos. Eu sentia uma grande carência de atenção e afeto e, de repente, imaginei que o mesmo estivesse acontecendo com meus filhos.

"Finalmente quebrei o ciclo. Disse 'chega'. Quero que minha mulher e meus filhos se aproximem de mim e que fiquem felizes quando eu voltar para casa."

Jaime começou a freqüentar um grupo destinado a melhorar a comunicação dos homens com suas esposas e filhos. "No grupo estamos redefinindo o conceito de homem. Ser um homem de verdade, um bom pai de família, significa comunicar-se e não querer ser deixado sozinho. Ser um homem é agachar-se no chão e brincar com os filhos. Significa nunca ter medo de demonstrar amor."

A atitude de Jaime mudou sua vida e a de sua família. "Valorizo a grande dádiva que recebi e faço com que minha família perceba isso. Continuo participando do grupo, agora como palestrante, procurando contribuir para que outros homens enxerguem tudo o que têm. Não apenas as obrigações, mas as alegrias do convívio e da troca de amor."

☺ ☺ ☺

Estudos sobre relacionamentos revelam que, nos últimos vinte anos, os papéis do homem e da mulher modificaram-se de maneira significativa e se tornaram menos rígidos. Hoje, parceiros que vivem relações duradouras e felizes têm chances três vezes maiores de adotarem uma definição flexível dos papéis masculino e feminino.

Gilbert e Walker, 2001

9

O passado não é o futuro

O que aconteceu no passado não determina o futuro. Seus relacionamentos não estão limitados pelas experiências vividas ou por antigas decepções. Você pode aprender com suas experiências, evitar os erros do passado e mudar seu padrão de relacionamentos.

☺ ☺ ☺

Monica Seles sabe que seu desempenho sempre será comparado ao do passado, quando foi a tenista número um no ranking profissional por quase dois anos. Ela treinava sem descanso, era destemida. Mas o que, na verdade, o sucesso lhe trouxe?

"É claro que o dinheiro e os títulos trazem uma sensação de segurança e muitas outras coisas, mas constatei que a soma disso tudo não traz necessariamente a felicidade."

Essa sensação de segurança não impediu que um homem desequilibrado surgisse da arquibancada e desse uma facada nas costas de Monica, no campeonato alemão de 1993.

"Fui impedida de continuar quando estava no auge da carreira", disse ela. Prosseguir foi muito difícil, mas ela tem sido perseverante em recuperar seu lugar entre as melhores jogadoras do mundo. Mesmo depois de ter galgado seu caminho de volta ao topo, ela admite que a experiência vivida mudou sua forma de encarar a vida.

"Aprendi a não colocar minha felicidade numa partida de tênis. Todos os dias você tem uma partida, ganha algumas, perde outras.

Se o seu relacionamento com as pessoas basear-se no seu desempenho na quadra, que é o que muitos tenistas fazem, você vai acabar jogando fora a sua vida pessoal. Se as suas emoções dependerem do tênis, você vai se tornar um feixe de nervos. Minha vida teve altos e baixos, mas acho que isso acontece com todo mundo. Minha teoria é que você se levanta e tenta de novo, de todas as formas, em cada aspecto da vida – na carreira e na vida pessoal. Você apenas segue em frente."

Monica Seles acredita que todos somos capazes de fazer uma mudança positiva em nossa vida. "Não acredito que seja possível alguém ser o mesmo que era no passado, porque as experiências nos transformam, nos amadurecem e nos dão mais liberdade de escolha", disse ela. "O importante é viver plenamente o presente, sem lastimar-se pelo passado nem preocupar-se com o futuro."

☺ ☺ ☺

A maior parte das pessoas que terminaram um relacionamento negativo estava feliz num novo relacionamento três anos depois, e setenta e quatro por cento afirmaram que, graças ao que aprenderam com a experiência, viviam uma nova relação significativamente diferente.

Sweeney, 2002

10

Ninguém sai vencedor no jogo da comparação

Nossa vida pessoal não muda quando a comparamos com os relacionamentos mantidos por nossos amigos. Mas a maneira como a encaramos se modifica. Assim, quando vemos um amigo ou algum membro da família usufruindo uma relação aparentemente perfeita, começamos a questionar a nossa. Por outro lado, se vemos um amigo ou parente numa relação conturbada, valorizamos a que estamos vivendo. Não se deixe levar pelo jogo das comparações. O seu relacionamento deve ser avaliado com base nas suas próprias necessidades e não no relativo sucesso dos que estão ao seu redor.

☺ ☺ ☺

O relacionamento de Tim e Karen começou como num conto de fadas e este clima durou algum tempo depois do casamento. Mais de uma década depois, Tim e Karen tinham três filhos e viviam com o orçamento apertado, pois ambos voltaram à faculdade para fazer seu doutorado. O romance sofrera o desgaste dos enjôos matinais, das noites sem dormir, do cansaço permanente, da falta de tempo um para o outro.

"Do quarto ao oitavo ano foi o caos", Tim relembrou. "Qualquer coisa era motivo de discussão", concordou Karen. "Éramos imaturos e despreparados para administrar as crises. E o pior de tudo era que estávamos cercados por casais que aparentemente tiravam tudo de letra e que se diziam tão apaixonados quanto na época do casamento, sem falar na fantástica vida sexual que eles diziam ter."

"Um dia, quando me senti especialmente deprimido com o sucesso das outras pessoas, lembrei-me de algo que tinha aprendido em minhas aulas de marketing: nós temos uma mentalidade de consumidor. Qualquer coisa, seja uma companhia telefônica ou um aparelho de videocassete, pode ser substituída quando pára de atender às nossas necessidades. Percebi que eu estava fazendo isso com o meu casamento, tratando-o como se fosse um produto e imaginando se poderia trocá-lo por algo melhor", conta Tim.

"Se você pensa no seu relacionamento com a cabeça de um consumidor, se começa a comparar sua parceira com outras, está desvalorizando aquilo que tem em função de algo que provavelmente não existe. Ao perceber que não estava investindo em meu casamento, eu me senti livre para colocar minha energia nele, procurando resgatar o amor que nos unia, em vez de ficar olhando em torno para compará-lo com o dos outros."

☺ ☺ ☺

As pessoas que foram orientadas a descrever primeiramente um casal infeliz e, logo depois, o seu próprio relacionamento tinham chances dezenove por cento maiores de falar dele com entusiasmo do que as pessoas que foram orientadas a descrever um casal feliz e depois descrever o seu próprio relacionamento.

Carsten, 2001

11

Descubra o amor que rodeia você

Algumas vezes temos a maior facilidade para enxergar os problemas em nossas vidas e uma grande dificuldade para ver os pontos positivos. Sejam quais forem as condições de seu relacionamento, pense nas muitas pessoas que amam você e na profundidade do amor que lhe dedicam. Receber amor e saber que você o merece são condições necessárias para se criar ou manter qualquer relacionamento.

☺ ☺ ☺

Lance e Rebecca já estavam casados e tinham um filho quando ele se matriculou na faculdade de direito. Um de seus professores alertou-o de que o nível de exigência dos estudos na faculdade havia terminado com mais casamentos do que ele poderia imaginar. De fato, três anos depois, Lance era o único aluno da sala que ainda estava casado com a mesma pessoa. Lance e Rebecca, entretanto, confessam que foram anos terríveis.

"Havia dias em que ele saía de casa e eu começava a chorar", disse Rebecca. "Pensava que Lance estava na faculdade enquanto eu vivia mergulhada em trocas de fraldas, e que a ligação entre nós ia terminar."

Lance terminou os estudos e o casamento continuou num estado de mediocridade. Então, oito anos depois, um médico disse a Rebecca que ela sofria de uma doença terminal.

"Comecei a me preparar para a morte dela", disse Lance. "O meu medo era tanto que, em vez de dar-lhe apoio, afastei-me para não sofrer, mesmo sabendo que aquele era o momento em que Rebecca mais precisava de mim. Fiquei apavorado, sem saber como enfrentar uma vida sem ela." Eles não se comunicavam. Não sabiam como se aproximar um do outro.

"Eu não queria nada demais. Queria apenas ser abraçada e protegida", lembra-se Rebecca. "Mas percebi que era medo e não falta de amor o que estava fazendo com que Lance fugisse de mim."

Tempos depois, um outro médico percebeu um erro no diagnóstico. A saúde de Rebecca teve uma enorme melhora quando ela parou de tomar o remédio que a estava deixando doente. A cura emocional, porém, levou mais tempo.

"Não me prendo aos ressentimentos ou cicatrizes dos anos em que me senti sozinha e quando pensei que ia morrer", disse Rebecca. "Não olho para trás. O relacionamento que construímos a partir de então me faz muito feliz. Sei que sou amada e que sempre serei. Lance está se empenhando em demonstrar isso de todas as formas possíveis."

Lance acha que agora compreende melhor as necessidades da mulher. "Rebecca sempre esteve ao meu lado. Para mim, esta é a definição de amor: estar sempre ali, disponível para o que der e vier. Ela me fez sentir amado e isso trouxe à tona a melhor parte de mim. O resultado é que estamos verdadeiramente juntos."

☺ ☺ ☺

As pessoas não experimentam o amor conjugal isoladamente, sem misturá-lo às outras relações de sua vida. Por exemplo, as pessoas que estão vivendo um relacionamento feliz no casamento têm chances vinte e dois por cento maiores de se sentirem amadas pelos membros da família do que as pessoas que vivem um relacionamento insatisfatório.

Sprecher e Felmlee, 2000

12

Deixar de agir não é solução

Quando não temos a resposta, ou quando não gostamos dela, somos tentados a ignorar o problema. Esta atitude pode nos ajudar num primeiro momento, mas não é a solução. Só conseguimos ignorar os problemas até eles se tornarem maiores e mais difíceis de resolver. Cuide de seu relacionamento com toda a sua atenção e habilidade, como se ocuparia daquilo que é importante em sua vida.

☺ ☺ ☺

"Você nunca vai encontrar isso nas mensagens de cartões românticos, mas o fato é que o elemento primordial dos casamentos felizes não é o amor, mas a discussão", afirma o Dr. David Olson, que dedicou sua carreira ao estudo dos relacionamentos. Ele acrescenta: "Afinal, sabemos que todos os que se casam estão apaixonados. Entretanto, cinqüenta por cento deles se divorciam. E o sinal mais importante para prever se os casais continuarão juntos é a maneira como trabalham suas diferenças."

O Professor Olson afirma que as pessoas precisam entender que o amor atencioso e o conflito cuidadoso são dois lados da mesma moeda. "Amar de maneira adequada cria reservatórios de ternura que ajudam os casais a vencer os tempos difíceis. 'Brigar' de maneira adequada evita o tipo de discussões acaloradas e infecundas que secam esse reservatório."

Mas o professor teme que muitos casais jovens estejam menosprezando o lado das "brigas adequadas", prejudicando assim a sua chance de felicidade. Isso inspirou-o a criar questionários sobre os relacionamentos para descobrir prováveis pontos críticos.

Os resultados alcançados são impressionantes. Examinando as respostas aos questionários, Olson consegue prever, com oitenta e cinco por cento de acerto, quais os casais que irão se separar dentro de três anos. Num trabalho que durou cinco anos, casais diminuíram em dois terços o risco de divórcio seguindo as lições de comunicação e solução de problemas que fazem parte do programa.

Laurie e Dave fizeram o teste do Professor Olson e receberam um aconselhamento posterior. Eles afirmam que isso fortaleceu a relação. Laurie contou que em seu primeiro casamento sempre evitava conflitos. "Este foi o maior problema", disse ela. "Sempre tinha que haver um vencedor e um perdedor. Por isso eu tinha medo de discussões e, basicamente, fugia e me escondia delas."

A preocupação de Laurie ficou gravada em sua memória, e por isso ela e Dave tiveram que trabalhar este ponto com um terapeuta de família. "Dave me mostrou como as discussões podem ser produtivas. Em vez de constituírem uma disputa para ver quem ganha, são momentos em que os dois se empenham para achar uma solução conjunta de felicidade", disse Laurie. Hoje, quando percebe que ela está fugindo, Dave a convence a falar, em vez de se fechar. "E acho que nós podemos ajudar um ao outro a nos manter no caminho certo, não importa o que esteja sendo discutido – dinheiro, religião, nosso relacionamento, qualquer coisa."

☺ ☺ ☺

Casais que dizem que nunca discutem um com o outro têm chances trinta e cinco por cento maiores de se divorciar num período de quatro anos do que casais que expressam suas discordâncias e têm discussões produtivas.

Vaughn, 2001

13

Procure a amizade em seu casamento

Os dois relacionamentos mais próximos na vida de uma pessoa tendem a ser entre ela e o parceiro e entre ela e seu melhor amigo ou amiga. Para muitos, entretanto, os sentimentos de afinidade, apoio, afeto e boa comunicação são mais fortes em relação aos melhores amigos. Este desequilíbrio pode ser uma fonte de frustrações e decepções no casamento. É lógico, pois a amizade tem uma vantagem: os grandes dilemas, lutas e debates da vida costumam acontecer dentro do casamento e, por comparação, a amizade parece mais amena ou melhor. Mas, se você desenvolver uma sólida relação de amizade com seu parceiro, terá a chance de reconhecer que as dificuldades resolvidas com amizade garantem a solidez de uma relação.

☺ ☺ ☺

Keith e Lena fizeram as coisas de trás para a frente. Primeiro, moraram juntos, depois se apaixonaram.

Ambos estudavam e trabalhavam quando se conheceram numa turma de educação infantil. Ele estava procurando um lugar para morar e ela, alguém com quem dividir um apartamento. Dez meses na mesma casa aproximaram o casal.

"O nosso relacionamento era todo baseado em amizade", disse Lena. "Eu estava namorando outra pessoa, ele saía com algumas moças. Conversávamos sobre nossos respectivos relacionamentos e confiávamos muito um no outro." Nessa relação de amizade foram descobrindo tudo o que tinham em comum, inclusive o interesse dos dois pela área de educação.

Durante o verão, Keith aceitou um emprego num acampamento distante, mas eles se falavam todos os dias ao telefone. Ele ansiava pelas ligações dela e Lena sentiu que o apartamento ficou vazio sem Keith.

A co-diretora do acampamento é que chamou a atenção do rapaz. "Ela ficava me dizendo que eu estava apaixonado por Lena", disse Keith.

Ao voltar para casa, Keith subiu correndo as escadas até o terceiro andar, onde ficava o apartamento. Ao se olharem, ambos se deram conta de como estavam emocionados por reencontrar-se. Eles se beijaram pela primeira vez. "Foi aí que tive certeza", disse Keith. "Mas nós já morávamos juntos, já tínhamos estabelecido nossas regras de convivência. Precisávamos apenas descobrir como transformar amizade em namoro, o que não foi difícil."

O casal atribui o seu feliz casamento à amizade que construíram antes. "É claro que o casamento trouxe os inevitáveis atritos, mas a relação de confiança e respeito que tínhamos estabelecido quando éramos amigos facilitou tudo", explicou Keith. "Já nos conhecíamos. Não havia fingimentos."

☺ ☺ ☺

Três entre cada cinco pessoas consideraram seus melhores amigos mais solidários, mais abertos em sua comunicação e capazes de sentimentos de afeição mais sólidos do que seus parceiros de casamento.

Vinograde, 2001

14

Busque o que você vai precisar sempre, não o que deseja hoje

Ficamos felizes quando conseguimos o que desejamos e infelizes quando não conseguimos, não é mesmo? Na verdade, só somos felizes ao conseguir o que desejamos se aquilo que desejamos atende às nossas necessidades. Em outras palavras, conseguir exatamente o que desejamos a cada minuto é como uma criança ganhar um doce todas as vezes que sentir vontade. Ela pode ficar feliz ao comer o primeiro, mas, com o passar do tempo, ficará enjoada. Veja a busca de um relacionamento feliz não como um processo de satisfação imediata, mas como uma forma de ir em busca de suas necessidades fundamentais.

☺ ☺ ☺

Quando Brenda recebeu a carta oferecendo o emprego com que ela sempre sonhara, o casal ficou extremamente dividido: por um lado era a realização de um profundo desejo, mas por outro significava um afastamento e uma perda: a instituição destinada a crianças carentes que a convidava ficava em outro estado.

Brenda e Marty teriam que abrir mão durante um bom tempo de um convívio que parecia prolongar as delícias da lua-de-mel. Os dois refletiram, ponderaram os prós e os contras e tomaram uma decisão. "Pensamos que tínhamos a vida toda pela frente e que aquela era uma oportunidade que não podia ser perdida, pois significava uma realização profissional importante, além do crescimento pessoal de Brenda."

Os dois procuram compensar o afastamento comunicando-se por

e-mail várias vezes por dia. "Está acontecendo uma coisa incrível", conta Marty. "Ao escrever, nos comunicamos muito mais do que quando estamos juntos. No correr do dia contamos um para o outro os acontecimentos que nos afetam, as pequenas alegrias, as dúvidas e as decepções. Transmitimos um ao outro coisas que a corrida diária e o cansaço no fim do dia do trabalho impediam de serem trocadas. Estou conhecendo uma nova Brenda, e com ela acontece o mesmo. Estamos absolutamente encantados um com o outro."

Brenda e Marty passam fins de semana juntos a cada duas semanas. "Esses fins de semana são intensamente aproveitados e nos fazem um bem enorme. Quando estávamos juntos o tempo todo, o fim de semana passava voando, muitas vezes sem que tivéssemos noção de como tinham sido vividos. Agora, cada minuto é precioso e usufruído da melhor maneira possível", disse Brenda.

"Mas essa vida não é para qualquer um", falou Marty. "Você precisa acreditar em seu parceiro e confiar nele. O tempo que passam juntos tem que ter qualidade, carinho, amor. Acredito que muitos casamentos fracassam porque viver juntos todos os dias é muito difícil. Nós apreciamos mais um ao outro devido ao tempo que passamos separados. Cada encontro é uma alegria, por ser uma ocasião rara e especial. No dia em que voltarmos a viver juntos teremos que nos esforçar para manter o que conquistamos nesse período de afastamento."

☺ ☺ ☺

Os casais que buscam uma forma imediata de felicidade, procurando satisfazer seus desejos sem levar em conta as suas necessidades mais profundas, enfrentam duas vezes mais conflitos do que os casais que buscam formas mais generosas e dedicadas de felicidade.

Loveless, 2000

15

Busque a harmonia em sua vida

Se nossa vida pessoal é difícil, pensamos em fugir para o trabalho, onde poderemos encontrar satisfação. Se o trabalho é penoso, pensamos em escapar para a vida pessoal, onde encontraremos alegrias. Na verdade, nossa vida é uma só: se um lado dela não estiver bem, carregaremos a insatisfação e o sofrimento para tudo o que fizermos. Viver feliz não é sentir-se bem em relação a uma parte da vida e ignorar as outras, mas encontrar satisfação em tudo o que é importante.

☺ ☺ ☺

A atriz de cinema Sondra Locke estrelou em *Por que Tem que Ser Assim?*, atuação que lhe valeu uma indicação para o Oscar. Depois, ela apareceu em uma série de filmes ao lado de Clint Eastwood.

Eles se apaixonaram durante o primeiro filme que fizeram juntos, em 1975. A química foi instantânea. "Ele era mais do que bonito. Era irresistível. Apesar de todo o alvoroço caótico do ambiente de filmagens, havia uma aura de silêncio ao redor dele, como uma paz no meio de um temporal. No instante em que se virou para admirar o longínquo deserto, ele me viu. Eu não estava preparada para a maneira como nossos olhos se fundiram instantaneamente."

Ele a convidou para jantar. Ela aceitou. Tornaram-se inseparáveis.

O grande astro desaprovava o desejo de Sondra de expandir sua carreira de atriz, e para satisfazê-lo ela abriu mão da carreira – primeiro, aparecendo somente nos filmes dele, depois, não aparecendo em nenhum. "No início, não pensei muito no que estava fazendo, pois tudo o que queria era agradar o meu amor. Mas aos poucos a frustração que eu sentia foi afetando nosso relacionamento e, por isso, três anos depois, resolvi voltar, mesmo sabendo que estaria pondo em risco a nossa relação. E, quando o fiz, foi o princípio do fim."

Melancólica, ela acrescentou: "Eu assumo a minha responsabilidade. Permiti que o relacionamento fosse um substituto para minha carreira. E, em vez de ser feliz nos dois, terminei sem nenhum."

☺ ☺ ☺

Os pesquisadores descobriram um efeito de contágio segundo o qual as pessoas que experimentam altos índices de conflito no relacionamento sentem-se vinte por cento menos satisfeitas com seu trabalho, e as pessoas que experimentam altos níveis de estresse no trabalho sentem-se trinta e oito por cento menos satisfeitas com sua vida pessoal.

Ludlow e Alvarez-Salvat, 2001

16

Teste de relacionamento: você se sente só?

Podemos procurar incontáveis qualidades num parceiro, mas aquelas que realmente importam são muito poucas. O teste fundamental da saúde de um relacionamento é uma simples pergunta: você se sente só com freqüência? Se você estiver vivendo uma relação e responder sim, ela não está satisfazendo as suas necessidades mais fundamentais.

☺ ☺ ☺

"Como é possível estar casada e sentir-se sozinha", perguntava-se Tonya.

O marido de Tonya trabalhava até tarde no escritório e, ao voltar para casa, jantava em silêncio, dizendo-se exausto, abria uma cerveja e se concentrava na televisão. Algumas vezes Tonya tentava conversar com ele, saber de seu dia, contar coisas suas, mas acabava desistindo. Toda a postura do marido parecia dizer: "Não me amole, não me peça para fazer nada e nem para ficar ao seu lado."

"Percebi que para ele eu não era muito diferente de uma empregada. Realizava algumas tarefas e ficava no meu lugar, sem exigir nada, sentindo-me agradecida por algum elogio ocasional."

Levou algum tempo para que Tonya se desse conta do quanto estava sendo desrespeitada pelo abandono e indiferença do marido. Finalmente, ela tomou coragem e, num gesto de auto-estima, comunicou a ele que estava indo embora. Ele se surpreendeu:

"Mas o que é que eu fiz? Sou um marido fiel, trabalhador, vivo de casa para o trabalho e do trabalho para casa." Tonya limitou-se a responder: "Vou embora porque prefiro ficar só na minha própria companhia a sentir-me extremamente só ao seu lado."

Aquele foi um choque necessário para que o marido de Tonya descobrisse sua mulher como um ser à parte, com suas necessidades e carências. Ele sentiu muita falta dela e investiu de todas as maneiras para que Tonya voltasse, pedindo-lhe perdão por seu egoísmo e prometendo que tentaria ser um companheiro que nunca a deixaria sentir-se só. Foi uma lenta reconstrução do relacionamento que fez com que, dois anos depois, Tonya comentasse: "Acho que agora tenho um parceiro de verdade."

☺ ☺ ☺

Em estudos com pessoas envolvidas em relacionamentos de longo prazo, mais de um quarto delas admitiu sentir-se só a maior parte do tempo. Dentre essas, somente oito por cento consideravam o seu relacionamento saudável.

Levine, 2000

17

A rotina é heróica

As grandes realizações são construídas no dia-a-dia. Nós reconhecemos que manter um relacionamento longo e saudável é uma grande realização, mas é importante ter em mente que isso só pode ser construído sobre uma quase infinita série de pequenas atitudes, incluindo um compromisso diário com o outro. Nem sempre é fácil e as recompensas não ficam logo visíveis, mas sacrificar as suas preferências imediatas e dedicar-se a compartilhar, cuidar e ouvir são passos necessários – e muitas vezes heróicos – para atingir um relacionamento feliz que dure toda uma vida.

☺ ☺ ☺

Antes mesmo de iniciar o namoro, Kathy e William começaram a correr juntos. Tempos depois, já casados, o interesse de ambos pela corrida e seu sucesso nesta atividade fizeram com que se propusessem a correr juntos a maratona de Boston. Após três anos de treinamento e de muito trabalho para alcançar seu objetivo, Kathy conseguiu classificar-se para a prova, mas William, não.

William poderia ter reagido de várias maneiras, todas elas perfeitamente normais, levando-se em consideração a natureza humana. Ele poderia ter se afundado em autopiedade, arrastando Kathy consigo, fazendo-a sentir-se culpada por ele ter sido excluído. Ter pedido a Kathy que esperasse até que pudessem correr juntos. Ter ficado chateado com o sucesso da mulher e tentado sabotá-la.

"É claro que grande parte de mim desejaria estar lá, correndo", admitiu William. "Então, o que fiz no dia da maratona? Corri para cinco ou seis pontos onde pudesse gritar e torcer por ela." Ele optou pelo estímulo. "Vivi a maratona através dela. Seu sucesso foi o meu sucesso."

William afirmou que, na ginástica compartilhada, como na vida a dois, ciúme, inveja e outras emoções desagradáveis podem perfeitamente invadir o relacionamento. Por isso é importante lembrar que "nós somos um time todos os dias – inclusive no dia da corrida. Precisamos ser capazes de dar um ao outro a liberdade de desenvolver seus próprios talentos. Não devemos atravancar o caminho um do outro, mas ficar lado a lado, ajudando se for possível e observando se não for".

☺ ☺ ☺

A capacidade de manter uma comunicação aberta e saudável num relacionamento está associada a altos níveis de valiosas qualidades pessoais, como autodomínio, coragem, generosidade, compromisso com a justiça e bom senso.

Fowers, 2001

18

As atitudes determinam as conseqüências

As pessoas se desencorajam com muita facilidade. Desejam algo com todas as forças e, quando parece que não vão conseguir, perdem as esperanças. Mas o mundo está em constante mutação. Você está em constante mutação. Não há como prever exatamente o que vai acontecer, ou quando irá acontecer. O que se pode fazer é continuar. Continuar a ser alguém que contribui para a felicidade do outro. Continuar a ser uma pessoa que enxerga o bem ao seu redor. Continuar a ser alguém que oferece amor, afeição e apoio ao parceiro certo.

☺ ☺ ☺

Ellen vive e trabalha em Nova York há quase uma década. Ela deseja muito um parceiro, mas considera difícil encontrar na grande cidade um relacionamento que a satisfaça.

Ellen viveu uma experiência extremamente penosa. "Há cinco anos, eu estava saindo com um rapaz e o namoro parecia firme. Eu confiava nele de tal forma que, quando me pediu para ser avalista de um empréstimo para a compra de uma casa, não hesitei em concordar, achando até que havia no pedido uma intenção de casamento. Depois de dois meses, ele sumiu sem nenhum aviso, causando-me um enorme prejuízo. Fiquei profundamente traumatizada e durante bastante tempo tive medo de me envolver com qualquer pessoa e ser de novo enganada."

Mas Ellen superou a crise. Descobriu que, além de ter roubado seu dinheiro, o rapaz não poderia roubar sua confiança na humanidade. Decidiu que a experiência, em vez de arrasá-la, seria motivo de amadurecimento e aprendizagem.

"Sinto-me satisfeita por ter tido essa visão positiva", disse ela. "Sou mais cuidadosa na escolha de meus parceiros, mais cautelosa em meus impulsos, mais exigente em relação à qualidade das pessoas com quem me relaciono. Não fico com um homem só por ficar, para escapar da solidão. Prefiro a companhia de um livro interessante ou de uma boa amiga a passar a noite ao lado de alguém que não tenha afinidade comigo. Gosto mais de mim mesma e me valorizo mais, sabendo que assim estou me preparando para encontrar o parceiro com quem possa ser feliz."

☺ ☺ ☺

Estudos de longo prazo, em que pessoas foram observadas durante muitas décadas, demonstraram que a capacidade de encontrar um relacionamento feliz pode não ser afetada pelas experiências anteriores. Depende da atitude da pessoa em relação às experiências vividas.

Werner e Smith, 2001

19

Cuidado com os contos de fada

Pode parecer ridículo, mas contos de fada são importantes. Nossos primeiros conceitos sobre relacionamentos, amor, casamento e felicidade são poderosamente influenciados pelas histórias que lemos e os filmes a que assistimos. Embora não esperemos que alguém venha experimentar sapatinhos de cristal em nossos pés, temos a expectativa de uma certa quantidade de encantamento no amor e na vida. Procure a mágica da vida diária, a mágica do compartilhar, de dar e receber amor nos pequenos gestos corriqueiros, mas não se encha das expectativas de um conto de fadas no qual a história é unicamente sobre a busca do grande amor, como se ele não precisasse ser construído e mantido dia a dia.

☺ ☺ ☺

"É uma guerra contra as pessoas comuns, as vidas comuns, as alegrias rotineiras, contra tudo o que seja bom e sensato", ataca a crítica de mídia Sharon Tarver.

Seu alvo? A maneira como a mídia retrata os relacionamentos.

"Temos um modelo básico ali. O modelo de *Sintonia de Amor*, ou qualquer filme com Meg Ryan, no qual a pessoa perfeita está em algum lugar, esperando para conhecer você, se você conseguir encontrá-la. Ou, pior ainda, o modelo *Kate e Leopold*, no qual a protagonista precisa viajar no tempo e voltar ao início do século dezenove para encontrar alguém que a mereça. A mensagem que esses filmes nos passam é que os cidadãos estáveis e íntegros ao seu redor nem precisam se candidatar, porque são extremamente sem graça. Elas afirmam: existe alguém perfeito, basta procurar."

"E veja os péssimos resultados. Noventa e quatro por cento das pessoas de vinte e poucos anos dedicam-se a encontrar a pessoa ideal, sua alma gêmea, para se casar. Alma gêmea! Isso vai dar muito trabalho."

"O pior", acrescenta Sharon, "é que adotamos internamente esse modelo de alma gêmea, mas nos casamos com o colega de faculdade, um homem sólido e bom, mas sem o glamour do príncipe encantado. Pense no filme *As Pontes de Madison*. Tenho certeza de que a maioria das pessoas decepcionou-se quando a mulher optou por ficar com o marido, abrindo mão do que é apresentado como o "homem perfeito". Qual é a mensagem que isso passa? Fique casada com a pessoa digna e honesta que é o seu marido até o grande amor da sua vida aparecer. Quando o encontrar, livre-se do marido!"

Tarver implora às pessoas que entendam que "Cinderela, Príncipe Encantado, Meg Ryan não são reais. Não deixe de usufruir do seu parceiro em nome do homem perfeito que não existe. Não caia nesta armadilha".

☺ ☺ ☺

Elementos de contos de fada, como Cinderela e Príncipe Encantado, estavam presentes em setenta e oito por cento das crenças que as pessoas tinham sobre o amor romântico. Estas pessoas apresentavam maior chance de terem experimentado desilusões, sofrimentos e angústias em seus relacionamentos do que aquelas que deram menos crédito aos contos de fada.

Lochheart, 2000

20

Cultive interesses em comum

Cada um de nós deseja ser uma parte positiva na vida do parceiro e deseja que o parceiro seja uma parte positiva em sua vida. Entretanto, passamos quase o dia inteiro nos dedicando à carreira e a obrigações que nos separam. É por este motivo que é tão importante que as pessoas procurem, ou desenvolvam, interesses em comum. Esses interesses estimulam a comunicação positiva e fortalecem o sentimento de ligação entre os parceiros.

☺ ☺ ☺

O melhor divertimento para Bert e Diana é sair no seu barco e passar o dia velejando juntos. Casados há mais de trinta anos, o casal, em determinado momento da vida, teve que optar entre comprar um apartamento maior ou o veleiro com que os dois sonhavam. "Preferimos o veleiro", contam eles, "e não poderíamos ter feito melhor escolha." Durante anos, os fins de semana eram passados a bordo com os dois filhos do casal. Todos fizeram o curso necessário para operar o barco e se revezavam em seu comando. A experiência promoveu muita união na família. Agora, com os filhos já fora de casa, Bert e Diana continuam a praticar sua paixão, aventurando-se por águas desconhecidas.

"Nós dois adoramos descobrir novos lugares", disse Bert. "Estivemos em praias de uma beleza incrível. Desenvolvemos a capacidade de vibrar com a natureza e de usufruir o fato de estarmos juntos. Conversamos e, em alguns momentos, ficamos em silêncio, o que também é ótimo. Sentimos que somos os melhores amigos um do outro, e acho que nunca iremos nos cansar dessa proximidade."

Existe algum ponto negativo nessa paixão em comum? "Mosquitos. Sem dúvida, os mosquitos", alertou Bert.

☺ ☺ ☺

Ao se comparar casais que permaneceram juntos por mais de cinco anos e casais que se separaram, os pesquisadores descobriram que os casais que permaneceram juntos tinham chances sessenta e quatro por cento maiores de conseguirem identificar múltiplos interesses comuns.

Bachand e Caron, 2001

21

Mesmo num relacionamento, você é uma pessoa à parte

Relacionamentos fortes e saudáveis são construídos sobre fundamentos de igualdade. Mas trata-se de igualdade de direitos e não de características pessoais. As relações felizes alimentam os sonhos de ambos os parceiros e ajudam a realizá-los, mesmo que sejam diferentes. Não é possível realizar os sonhos de um deles à custa dos sonhos do outro.

☺ ☺ ☺

Lana e Derek resolveram morar juntos há sete anos. Antes de se mudarem para a mesma casa, planejaram as questões ligadas a dinheiro e distribuição das tarefas domésticas. Até agora, o sistema está dando certo: eles dividem tudo meio a meio.

Lana explicou: "Nós fazemos um grande esforço para conseguir um equilíbrio entre estar juntos e permitir que cada um seja a pessoa que quiser ser. Eu trabalho para uma grande empresa e me dedico de corpo e alma ao que faço; ele é artista. Mas temos um sólido compromisso um com o outro que, acredito, irá durar, porque também temos um sólido compromisso com nossa individualidade."

☺ ☺ ☺

Numa pesquisa, oitenta e oito por cento das pessoas relataram que manter o seu senso de autonomia individual, sua independência e igualdade era um fator importante nas decisões sobre seus relacionamentos.

Thornton e Youn-Demarco, 2001

22

Casamento para uso externo

Muitas pessoas sentem-se infelizes no relacionamento, mas não se empenham em transformá-lo, nem pensam em terminá-lo. Por quê? Elas desejam mantê-lo não pelo relacionamento em si, mas pelas vantagens que oferece. Sentem-se valorizadas ante a família, os amigos e colegas de trabalho só porque estão namorando ou casadas. Isto é o mesmo que usar a própria vida como relações públicas. Não faz sentido manter um relacionamento que não satisfaz as suas necessidades essenciais.

☺ ☺ ☺

Quando Kelly casou-se com Carlos, executivo de um banco, foi um acontecimento memorável. E assim a vida prosseguiu: os espetáculos se sucedendo e o casal sendo matéria das principais colunas sociais. Por isso, quando uma colega de infância foi visitar Kelly, surpreendeu-se ao ouvi-la dizer que se sentia infeliz por estar casada com um homem egoísta, que a usava como organizadora de festas e chamariz para seus negócios. "E por que você continua casada com ele?", a amiga perguntou. Kelly admitiu, envergonhada: "Porque não consigo abrir mão do luxo que ele me proporciona e gosto de ser invejada."

☺ ☺ ☺

Uma em cada cinco pessoas casadas considerou o seu relacionamento insatisfatório, embora não desejasse fazer nenhuma mudança, devido ao status de estar casada.

Nock, 2001

23

Você escreve a sua própria história

Quando o casamento de algum casal mais próximo termina, é inevitável sentir o nosso ameaçado. Todos nós já testemunhamos muitos divórcios e incontáveis relacionamentos fracassados. Mas a experiência de outras pessoas pode ser proveitosa para nós. Assimile tudo o que puder aprender com os erros e os acertos que testemunhar, mas não se deixe influenciar por experiências que não são suas.

☺ ☺ ☺

Chris e Angel ouviram muito bem a mensagem repetida inúmeras vezes pela família do rapaz, que temia que ele assumisse um compromisso antes de ser bem-sucedido em sua carreira: "Vocês são jovens demais." Os pais de Angel se separaram quando ela era pequena, e a visão que tinham transmitido do casamento para a filha era a pior possível.

No entanto, Chris e Angel estavam profundamente apaixonados. Os dois tinham muito em comum: eram ambos gentis, desejavam imensamente ajudar os menos afortunados da comunidade e adoravam esportes. Quando Chris a pediu em casamento, Angel aceitou. Mas a pressão de seus pais foi tanta, os alertas e prognósticos de infelicidade se multiplicaram de tal forma, que ela voltou atrás, com medo de estar apressando os acontecimentos. "Já vi muitos casamentos que não deram certo e não quero passar por isso", justificou.

Com visões diferentes do futuro da relação, o casal se separou. Entretanto, Chris e Angel continuaram a se ver diariamente no escritório da revista onde ambos trabalhavam. "Tínhamos decidido que seríamos apenas amigos", lembra-se Chris. "No início achei que seria uma boa idéia. Mas a verdade é que não consegui agüentar. Quando vi Angel começando a se envolver com um outro rapaz, foi difícil demais para mim."

Um dia, então, Chris chamou Angel para conversar. Sentou-se em frente dela, segurou-lhe as mãos, olhou-a no fundo dos olhos e afirmou com a maior convicção: "Nós dois vivemos uma experiência de amor fora do comum, um verdadeiro tesouro. Não podemos deixar que a opinião dos outros nos faça perder uma oportunidade que é dada a muito pouca gente e que pode não se repetir em nossas vidas. Tenha confiança em nós, na nossa capacidade de construir uma vida feliz, diferente da de nossos pais. Eu quero casar com você." Angel disse sim, e eles estão casados e felizes há dez anos.

☺ ☺ ☺

Em estudos com filhos de casais divorciados, os pesquisadores não encontraram um índice maior de relações infelizes ou divórcios. Entretanto, essas pessoas apresentaram uma probabilidade quinze por cento maior de temer pela solidez de seu relacionamento e por suas chances de felicidade.

Zink, 2000

24

Mantenha a sua sensação de controle

Em todos os aspectos da vida, você vai sentir muito mais satisfação e menos estresse se mantiver a sensação de controle. É preciso sentir que sua vida depende de suas decisões, independentemente do que possa acontecer ao seu redor. Um relacionamento saudável lhe dará a noção de que suas decisões são importantes, enquanto um relacionamento ruim fará você achar que elas são irrelevantes. Procure manter sempre a noção de controle em tudo o que fizer.

☺ ☺ ☺

Madge e Eddie estão casados há quase setenta anos. Durante esse tempo, viram muitas coisas mudar no mundo. O que deu tanta força para que ficassem juntos?

"O amor", respondeu Madge. "Só isso." Depois, ela ri e acrescenta: "Naturalmente, houve respeito mútuo, paciência e muito diálogo. Mas tudo isso só foi possível porque gostávamos muito um do outro e tínhamos certeza de que, apesar de todas as dificuldades de qualquer casamento, estávamos felizes quando nos sentíamos próximos um do outro."

Eddie acredita que as discussões que tiveram também foram de grande ajuda, porque ajudaram a promover os ajustes necessários e fizeram com que eles se conhecessem e se aceitassem melhor. "Digamos que alguma coisa não saísse bem. Ficávamos muito zangados. Ficávamos sem falar um com o outro. Mas, assim que a raiva diminuía, conseguíamos conversar. A certeza de que queríamos ficar juntos ajudava a superar as crises e os problemas."

Para Madge, toda essa sabedoria e esse conhecimento foram aprendidos através do "bom e velho bom senso. Você precisa dar e receber. Mas tem que manter o controle sobre si mesma todo o tempo. Nunca ir longe demais".

"Qualquer pessoa que disser que nunca discute ou briga é uma mentirosa descarada", ela afirma, baseada em sua extensa experiência.

Quando as coisas ficavam pesadas demais para Madge, ela tirava um fim de semana para dedicar-se a si mesma. Não se tratava de um gesto hostil, era apenas um sábio investimento na relação. "Ainda gosto de ficar sozinha de vez em quando", disse ela. "Se você não gosta de você mesma, como vai gostar dos outros?" Ela sorri, afagando a mão do marido: "Amo este velho patife e não gostaria nunca de me livrar dele."

☺ ☺ ☺

As pessoas com uma sensação de controle sobre suas vidas, seja na carreira ou no relacionamento, apresentaram uma probabilidade sessenta e seis por cento maior de se declararem felizes e satisfeitas.

Chou e Chi, 2001

25

Dinheiro não compra felicidade, mas pode comprar estresse

Qual é a parte mais importante de sua vida? Não é o dinheiro. Nunca foi e nunca será. Mas quantas vezes uma desavença por causa de dinheiro – como gastá-lo, como ganhá-lo, quanto é suficiente – impediu que você desfrutasse o tempo que passa com quem você mais gosta? Quando permitimos que temas superficiais atrapalhem o que é importante, nossos relacionamentos deixam de ser saudáveis. Ficaremos perturbados se não tivermos dinheiro suficiente e decepcionados quando tivermos, pois constataremos que ele não nos trará a alegria e a satisfação esperadas. Coloque o dinheiro no lugar certo – atrás daquilo que realmente tem importância em sua vida.

☺ ☺ ☺

"A média das pessoas usa o dinheiro como se fosse uma droga", afirmou Steve Rhode, que dirige um programa de aconselhamento financeiro. Ele quis dizer que podemos nos tornar tão dependentes de dinheiro quanto um viciado em drogas. Rhode orienta as pessoas para que saibam fazer uso do dinheiro de maneira inteligente, e também dirige um programa que lida com as habilidades de viver bem e de se relacionar, pois ele considera que essas habilidades são inseparáveis da capacidade de usar o dinheiro.

"Ser viciado em dinheiro é não ser capaz de controlar a si mesmo em seus gastos", explica Rhode. "É o uso repetido, quase inconsciente, do dinheiro para resolver outras questões mais profundas, como a insatisfação pessoal, profissional e afetiva. A nossa sociedade reconhece que as pessoas abusam do álcool, das drogas ou da comida, e que elas precisam de ajuda para vencer esses problemas. Mas e as que abusam do dinheiro?"

Segundo Rhode, o que torna o vício no dinheiro ainda mais perigoso é que esta situação costuma ser subestimada, tratada como se fosse uma futilidade e não um problema. "Muitos acreditam que é normal não ser capaz de controlar o próprio dinheiro. Mas não é. As pessoas deixam de tomar uma atitude porque negam a existência do problema."

Ele prossegue: "As pessoas permitem que seus hábitos financeiros ditem quem elas são. Não há como negar que a nossa relação com o dinheiro afeta nossos relacionamentos, porque damos prioridade a algo que é secundário, que é apenas um instrumento para obter coisas prazerosas, e não um bem essencial. A pessoa passa a valer pelo dinheiro que tem e não por sua qualidade humana."

A mensagem de Rhode aos clientes é que eles devem se concentrar no que é realmente importante e, ao mesmo tempo, controlar os seus impulsos de comprar. "Gastar dinheiro é uma solução superficial para um problema mais profundo. Tentamos preencher algumas lacunas gastando dinheiro, mas não faz sentido tapar com dinheiro os buracos de nossa vida, pois ainda que derramássemos neles toda a fortuna do mundo jamais conseguiríamos preenchê-los."

☺ ☺ ☺

Desavenças por dinheiro são uma fonte significativa de conflito em mais da metade dos relacionamentos. O interessante é que este problema ocorre independentemente do nível de renda.

Goldscheider, 1999

26

Ninguém pode ler sua mente

Você deseja apoio e alento devido a uma situação penosa. Você quer que seu parceiro compreenda a situação e a dificuldade que está enfrentando, fazendo com que você se sinta melhor. Mas você não diz claramente o que está acontecendo, o que está sentindo, e com isso não dá ao seu parceiro meios para lhe dar o apoio que você deseja. Com freqüência, nós somos responsáveis pela decepção que nosso parceiro nos causa, quando não revelamos nossos sentimentos e nem a nossa visão do problema. Quando precisar de ajuda, peça-a e explique a situação. A resposta recebida será mais significativa e também mais eficaz.

☺ ☺ ☺

Ed trabalha numa empresa de relações públicas onde sua mulher, Gwen, chefia um setor. Ambos se admiram muito, mas a situação pode ser problemática, sobretudo porque Ed é muito fechado e tem dificuldade de expressar seus sentimentos. Quando ele vê Gwen sendo muito prestigiada, sente-se dividido entre grande satisfação e um certo sentimento de inferioridade. O mesmo acontece quando acha que ela está fazendo charme para um cliente.

No início, a situação era bastante complicada. Ed chegava em casa de cara fechada e muitas vezes Gwen nem percebia, pois estava preocupada com questões profissionais, o que agravava o problema. Quando se dava conta do mutismo do marido, ela perguntava: "O que foi?" E ele respondia lacônico: "Nada." O "boa-noite" antes de dormir era mais um resmungo da parte dele, deixando-a triste, perplexa e irritada.

Quando saíram para jantar num aniversário de casamento, Ed bebeu um uísque a mais e tomou coragem para abrir o jogo: "Morro de ciúmes quando vejo você fazendo charme para um diretor. Tenho uma enorme admiração por você, mas às vezes sinto inveja da sua posição e me envergonho por sentir isso." Gwen levantou-se da cadeira e foi dar um beijo no marido: "Meu amor, que coisa boa você poder me dizer essas coisas que te incomodam! Este é então o motivo das suas caras amarradas e dos seus silêncios mal-humorados!" Propôs um brinde e um pacto: "Daqui em diante, vamos dizer um para o outro as coisas que nos fazem sofrer, nossas dúvidas, nossas suspeitas. Só assim poderemos evitar situações penosas e corrigir atitudes que fazem mal."

O pacto foi firmado, mas provavelmente vai exigir um investimento de vida inteira, porque Ed tem dificuldade em falar dos sentimentos que considera "vergonhosos". Agora Gwen já sabe o que acontece com o marido e se esforça para abrir o jogo sempre que percebe uma dificuldade. E assim vão administrando seu relacionamento e construindo sua felicidade. Gwen mandou fazer um pequeno cartaz que deu ao marido com os dizeres: "Telepatia não funciona. Confie no meu amor."

☺ ☺ ☺

Os pesquisadores descobriram que aqueles que são mais diretos e claros ao buscar o apoio do parceiro têm chances sessenta e um por cento maiores de sentir que receberam o apoio que desejavam do que aqueles que têm dificuldade em explicitar suas necessidades.

Fitness, 2001

27

Você é suficiente

Não é indispensável ter um relacionamento amoroso para sentir-se uma pessoa realizada. Uma relação pode ser parte crucial de sua vida e de seu futuro, mas acredite que, mesmo que não encontre seu parceiro ideal, você possui tudo o que é preciso para crescer, desenvolver-se e ser feliz. Indispensável para ser uma pessoa realizada é gostar de si mesma e acreditar em si mesma.

☺ ☺ ☺

"A solidão é uma experiência universal, conhecida por todos os seres humanos: pais e mães descasados, adolescentes e até indivíduos casados e felizes. Mesmo os ricos e famosos sofrem de solidão", afirma o psicólogo Henry Abrams.

"As pesquisas revelam que mais de um terço dos norte-americanos se sentem sós. Muito mais pessoas provavelmente sofrem de solidão, mas relutam em admiti-lo por se sentirem envergonhadas e estigmatizadas, vendo aí um sinal de que não são amadas ou de que têm algum problema. Elas deveriam reconhecer que a solidão ocasional é um lado inerente à condição humana."

Mas Abrams afirma que, ao contrário do que muitos pensam, cercar-se de pessoas só para escapar da solidão não é a cura. "A solidão não depende da companhia de alguém. A pessoa pode estar no meio de uma multidão ou – o que é mais triste – ao lado do seu parceiro e sentir-se imensamente só, incompreendida, desconhecida no que tem de fundamental. É maravilhoso poder compartilhar a vida com um ser amado, mas isso só é possível se a pessoa tomar posse de quem é e gostar de si mesma. Caso contrário, ela corre o risco de ter sua identidade dependente da opinião e apreciação do outro, o que é uma verdadeira escravidão."

"A solidão origina-se de um vazio interior, uma sensação de estar incompleto e não realizado, mesmo quando temos em nossas vidas muitas pessoas que nos amam. Para nos sentirmos completos, precisamos alimentar uma forte ligação com nosso eu interior. Só então poderemos nos conectar mais completamente aos outros e encontrar prazer em sua companhia."

☺ ☺ ☺

As pessoas que não estão num relacionamento não são solitárias por definição. Em um estudo realizado com pessoas que estavam procurando um relacionamento, a freqüência de sentimentos de solidão variou de "sempre" a "nunca".

Fahrenkamp, 2001

28

Amigos baseiam-se em experiências: as deles mesmos

Quando desejamos validar as nossas decisões, costumamos nos voltar para os amigos e pedir algum conselho ou aprovação. Mas nossos amigos só podem falar de sua própria experiência. Embora em várias situações as palavras de pessoas experientes tenham um grande valor, quando se trata de tomar decisões sobre relacionamentos, os amigos só podem falar com base em suas próprias vivências. Nem você, nem a sua situação fazem parte da experiência dos seus amigos. Valorize a amizade deles, mas compreenda que o conselho que eles lhe dão aplica-se, fundamentalmente, a eles mesmos.

☺ ☺ ☺

James e Renee devem seu relacionamento a amigos em comum, um casal que os apresentou numa reunião. Eles não se entenderam imediatamente, mas os amigos promoveram novos encontros, eles foram se conhecendo melhor e, três anos depois, Renee e James se casaram.

O casamento começou com alguns tropeços, que James atribuiu aos conselhos que recebeu do amigo que os apresentou. "Ele era casado há algum tempo e por isso respeitei sua opinião. Ele me disse que era importante preservar meu espaço de liberdade e que eu tinha que deixar isso bem claro para Renee. Se não fizesse assim, ficaria atrelado a ela, sentindo-se frustrado pelo resto da vida."

James colocou o conselho em prática, deixando claro para

Renee quais eram os pontos que não estava disposto a sacrificar pelo casamento. Hoje, James admite que sua atitude "foi um desastre". Ela se sentiu desrespeitada pela imposição do marido, o que gerou conflitos intermináveis e, em vez de se prepararem para uma vida de alegrias, começaram a caminhar em direção a um divórcio fulminante.

Ao se dar conta de que estava infeliz, James decidiu jogar fora o conselho recebido. "Percebi bem depressa que, para manter a união, cada parceiro precisa fazer do outro o número um. Percebi que poderia amar alguém tanto quanto amava a mim mesmo – e até mais. E que a recompensa está na dedicação e não no egoísmo."

☺ ☺ ☺

Quando se pediu a vários casais para orientar jovens que iniciavam um relacionamento, noventa e dois por cento dos participantes basearam-se em sua própria experiência para tirar conclusões e oferecer conselhos.

Protinsky e Coward, 2001

29

Não se pode achar sem procurar

A maioria dos relacionamentos começa depois que as pessoas se conhecem na escola, no trabalho, na vizinhança, através da família ou de amigos. Mas existem outras maneiras de encontrar um parceiro. Se estiver em busca de alguém, pense como pode expandir suas possibilidades de encontrar outras pessoas.

☺ ☺ ☺

Karen disse que foi um impulso que a fez publicar um anúncio num jornal de sua cidade. "Eu e minhas amigas costumávamos ler e achar graça", diz ela. "Nunca imaginei que faria algo assim." Entretanto, Karen estava cansada das pessoas que seus amigos tentavam lhe apresentar e resolveu arriscar.

"Você pode deixar a chance de encontrar alguém nas mãos do acaso ou pode ser mais atuante", diz ela. "Depois de todas as respostas que recebi, tive a chance de selecionar entre mais possibilidades."

Uma das respostas levou-a a marcar um encontro numa livraria. Karen e Mark conversaram durante horas. Um ano depois estavam casados. "Provavelmente foi o destino", acredita Karen.

☺ ☺ ☺

Entre aqueles que já utilizaram anúncios, setenta e três por cento consideraram que o esforço valeu a pena. Eles afirmaram que a melhor característica dos anúncios era atingir pessoas que, de outra maneira, jamais teriam conhecido.

Kalmijn e Flap, 2001

30

Decida se deseja vencer ou ser feliz

Todo mundo discute – é óbvio. Conflitos são inevitáveis quando duas pessoas tentam conviver. Mas, em relação aos conflitos, há uma única questão fundamental: você deseja vencer mostrando que está com a razão, ou quer chegar, de maneira respeitosa e solidária, a uma solução com seu parceiro? Você pode ganhar todas as discussões que quiser e se sentir bem por ter vencido. Mas isso não contribuirá em nada para a sua felicidade. Quando um dos dois quer vencer na discussão a qualquer preço, nenhum dos dois ganha e a felicidade do casal fica comprometida.

☺ ☺ ☺

Colman McCarthy ensina técnicas de resolução de conflitos para crianças, adultos e casais. Ele aconselha as pessoas a abordarem os conflitos de forma saudável.

"Em primeiro lugar defina a situação objetivamente. Qual é a crise e o que precisa ser feito para melhorá-la? Este simples passo é crucial. Segundo os sociólogos, em setenta e cinco por cento das brigas entre marido e mulher, os dois estão lutando por questões diferentes. Ele pode estar furioso com o que ela fez ou disse de manhã. Ela pode estar fora de controle por algo que ele fez ou disse há dez semanas. Eles não conseguem resolver o conflito porque não sabem do que se trata."

O próximo passo, segundo McCarthy, é "ter consciência do objetivo da discussão. Não é um contra o outro, cada um procurando vencer, mas os dois em busca de uma solução para o problema. A maioria das pessoas – e de nações – envolve-se em batalhas com a mesma convicção: 'Eu estou certo, você está errado; eu sou bom, você é mau.' Quando um lado vence, a primeira reação do perdedor é 'quero uma revanche. Vou voltar com argumentos mais fortes e aí você vai aprender, vai se arrepender e teremos paz para sempre'. Isso é uma ilusão, mas poucos conseguem desistir dela". McCarthy diz que não se trata de derrotar o parceiro, mas de resolver o problema que afasta os dois. "Quando nos concentramos no problema e não na pessoa com o problema, um clima de cooperação – e não de competição – é fortalecido."

Comece com o que for exeqüível. O restabelecimento da paz não pode ser feito rapidamente. Se o conflito demorou muito tempo para se formar, levará muito tempo para terminar. Quase sempre é uma ferida insignificante que causa o primeiro dano ao relacionamento. Como os casais têm a tendência de ignorar o que consideram "pequenos problemas", a situação vai se repetindo e se agravando. Mas se houver amor e desejo de acertar – e não de dominar – pode-se chegar a um desfecho feliz para ambos.

McCarthy afirma que "um grande número de conflitos pode ser resolvido, desde que as estratégias para fazer a paz sejam conhecidas". Gandhi afirmou: "Não faça o seu oponente cair de joelhos, faça-o cair em si."

☺ ☺ ☺

As pessoas que mantêm um espírito solidário durante os conflitos com seus parceiros, dizendo a sua verdade e ouvindo a do outro, em busca da melhor solução para os dois, têm trinta e quatro por cento menos conflitos e os seus desentendimentos duram um tempo cinqüenta e nove por cento menor.

Wu, 2001

31

Qualquer pessoa pode ter um relacionamento feliz

Descreva as pessoas que você considera destinadas a ter um relacionamento feliz. Que tipo de trabalho elas fazem? Que idade elas têm? Quanto ganham? Quanto estudaram? Que religião seguem? A verdade é que nenhum desses fatores determina a qualidade de uma relação. Pessoas com todos os tipos de experiência, educação ou origem encontraram tanto felicidade quanto dificuldades em seus relacionamentos. Relações felizes têm tudo a ver com *quem* somos, mas não com o *que* somos.

☺ ☺ ☺

Rick trabalha para o serviço florestal. É um homem idealista e entusiasmado com o que faz. Aos trinta e dois anos, ainda está solteiro. "Desejo muito encontrar a mulher certa e tenho certeza de que, em algum lugar, ela está à minha espera", diz ele.

"Enquanto isso, vou investir em mim mesmo, no trabalho, em tudo o que existe para aprender. No dia em que encontrar minha parceira serei uma pessoa melhor e com mais condições de construir uma vida feliz para nós dois. Não sou um produto cuja data de validade está para expirar. Vou viver minha vida e encontrar alguém na hora certa", acredita.

☺ ☺ ☺

Idade, renda e status não influem na probabilidade de satisfação no relacionamento.

Koehne, 2000

32

Saiba o que você está procurando

As pessoas têm noções básicas sobre o mundo e o lugar que ocupam nele. Essas noções são fundamentais para suas vidas e para tudo o que fazem. Se quiser compreender melhor o que você precisa em um relacionamento, pense em quem você é. Seus interesses, crenças, escolha de profissão, todos são indicadores de sua personalidade fundamental. Lembre-se, as suas escolhas em outros aspectos da vida também revelam muito sobre o que você precisa em um relacionamento.

☺ ☺ ☺

Os dias úteis vão se tornando cada vez mais difíceis para Debbie no mês de maio, quando há uma enxurrada de casamentos. Ela trabalha no departamento de licenças de casamento e tem contato com inúmeros casais desejosos de se unirem.

O trabalho de Debbie reafirma seus sentimentos sobre o seu próprio relacionamento. "Ajudar no processo de juntar as pessoas permite que você reflita sobre sua própria união. Vejo esses jovens casais chegarem, alegres, esperançosos, e me pergunto quais são os fatores que os fazem acreditar que o relacionamento lhes trará felicidade. Estou casada há quinze anos, nos consideramos um casal feliz, mas me dou conta de que o casamento é um empreendimento árduo e difícil, é uma construção diária que exige amor, tolerância, desprendimento, consciência de que somos responsáveis pelo crescimento um do outro. Por isso olho com ternura para esses casais que vêm tirar a licença, desejando do fundo do coração que consigam compartilhar sua vida da melhor maneira possível."

Debbie conclui: "Não poderia viver sem esse espírito de fé e esperança. E meu marido é como eu. Ele olha para o lado alegre das coisas e brinca dizendo que existe uma razão para ele ter se casado com alguém do departamento de casamentos, e não do de divórcios."

☺ ☺ ☺

As escolhas profissionais estavam entre os fatores que melhor permitiam prever a visão que as pessoas tinham de seus papéis no relacionamento. As que optaram por profissões ligadas aos cuidados com o outro, como educação e medicina, mostraram-se quarenta e sete por cento mais propensas a assumir uma visão mais protetora de seu papel no relacionamento.

Klute, Crouter, Sayer e McHale, 2002

33

O conflito é esquecido, mas o sentimento fica

Pense nos conflitos e discussões que você teve com seu parceiro nos últimos seis meses. Estão meio esquecidos, não é? Quem deixou o quê onde, quem fez isso, quem se esqueceu de fazer aquilo? Os motivos dos conflitos e discussões vão ficando vagos com o passar do tempo. Agora tente se lembrar de como se sentiu durante os conflitos. É muito, muito mais fácil lembrar-se disso, não é? Você pode ter tido uma série de sentimentos: menosprezo, raiva, decepção, desrespeito. O que importa é a sensação que fica, as marcas que os conflitos e discussões mal resolvidas deixam no relacionamento. Por isso, seja qual for o motivo do conflito atual, procure respeitar os sentimentos de seu parceiro. Faça a queixa que tiver que fazer, mas de uma forma produtiva, que não agrida deixando seqüelas muito tempo depois de o conflito ter sido resolvido ou esquecido.

☺ ☺ ☺

Ele trabalha como vendedor de automóveis e ela, também. Adam e Sandra foram abençoados com o dom da palavra e com a certeza de que conseguirão convencer qualquer cliente. E como isso funciona no relacionamento dos dois?

Quando os conflitos aparecem, essa mesma personalidade que faz tanto sucesso nos negócios vira um problema porque ambos estão acostumados a convencer o cliente a fazer o que eles querem: comprar um carro. No dia-a-dia, porém, é preciso negociar, dizer seu ponto de vista e ouvir o do outro, ter muitas vezes que abrir mão do seu desejo. Adam explica: "De fato, estamos habituados a usar todos os argumentos possíveis para convencer. Mas, por outro lado, é preciso ouvir atentamente o cliente para sentir suas necessidades e seus gostos e oferecer o que ele deseja. Então, em nosso casamento, tomamos o maior cuidado para evitar o convencimento a qualquer preço e para usar a habilidade de escuta. Sabemos que o cliente, mesmo que não compre o carro, voltará à agência se tiver recebido um tratamento respeitoso e cordial."

"Nossa profissão, na verdade, tem a ver com entendimento", Sandra acrescenta. "Entender o que as pessoas estão buscando e como elas são. Em nosso relacionamento, isso nos ajuda a ouvir o que o outro está dizendo. Procuramos sempre nos respeitar, sabendo que somos diferentes, que cada um tem suas características próprias e que o casamento é um exercício constante de conhecimento mútuo, negociação e tolerância, com um objetivo muito melhor do que a venda de qualquer carro: manter vivo nosso amor e garantir a nossa felicidade."

☺ ☺ ☺

Quando foram orientadas a descrever três conflitos recentes que tiveram com seus parceiros, as pessoas falaram dez vezes mais sobre seus sentimentos e sobre o tom da discussão do que sobre o assunto discutido. Vinte e cinco por cento das pessoas se esqueceram do motivo do conflito, mas foram capazes de descrever como se sentiram naquela situação.

Ludwig, 2000

34

Tempo maior não significa tempo melhor

Se nós já identificamos, entre todas as pessoas, aquela com quem desejamos dividir a nossa vida, por que não passarmos juntos o maior tempo possível? Porque o relacionamento floresce na qualidade e não na quantidade de contato. Para muitos é fundamental uma certa distância para que possam dedicar-se a seus próprios interesses e necessidades de forma independente. Um tempo separados também fortalece o relacionamento, oferecendo a ambos a oportunidade de necessitar um do outro e de experimentar o prazer do reencontro.

☺ ☺ ☺

Carla e Brian gerenciam uma linha de ônibus que faz passeios turísticos pela cidade de Boston. Eles se divorciaram depois de quinze anos de casados, mas continuam operando amigavelmente a empresa que criaram juntos há dez anos.

Carla afirma que as pressões do trabalho acabam por trazer pressões também para o relacionamento. "Quando decidimos nos divorciar, sabíamos que talvez tivéssemos investido mais no trabalho do que na vida a dois. Tomamos uma decisão triste, porém consciente, de salvar a empresa e abrir mão do nosso casamento."

Ela enfatiza que os casais que trabalham juntos precisam desenvolver uma base sólida de comunicação e resolução de problemas, pois estarão juntos o dia inteiro, todos os dias. Ela acredita que dificuldades nessas áreas foram, pelo menos em parte, responsáveis pelo fim de seu casamento.

Brian concorda com a ex-mulher. "Quando as coisas não vão muito bem e ficamos estressados, todos nós temos a tendência de colocar a culpa nos outros. Isso representa um risco para os casais que trabalham juntos. Se estiverem enfrentando problemas ou desafios pessoais no trabalho, poderão acabar jogando a culpa um no outro." Ele aconselha esses casais a desenvolver atividades independentes significativas, longe do trabalho e longe um do outro. "O que acontece a vários casais nessa situação é que eles acabam entrando tanto no espaço um do outro, que podem começar a não diferenciar a casa do escritório."

☺ ☺ ☺

Setenta e seis por cento de casais recentemente aposentados afirmaram que enfrentam um grande desafio ao lidar com o grande aumento do tempo que passam na companhia um do outro.

Szinovacz e Schaffer, 2000

35

Reduza o tempo diante da televisão

A televisão é uma ótima fonte de informação e de entretenimento, mas pode se tornar um problema para o relacionamento quando ocupa um tempo precioso do convívio do casal.

☺ ☺ ☺

Frank Vespe é o diretor-executivo de uma organização que visa diminuir o tempo gasto em frente à televisão. Ele cita algumas estatísticas alarmantes. "O tempo que a televisão fica ligada diariamente na média das residências norte-americanas é de sete horas e quarenta minutos. O número de casas com aparelhos de televisão é maior do que o de casas com encanamento interno. Quase a metade dos norte-americanos admite que passa tempo demais diante da televisão."

Vespe alerta: "Assistir à televisão é uma experiência isoladora. É ruim para o nosso corpo, é ruim para o nosso cérebro. A parte do cérebro que lida com as relações pessoais desenvolve-se através da interação, e a TV requer interação zero. Ela desvitaliza o tempo com a família. Muitos passam mais tempo com a televisão do que com os familiares. A televisão nos seduz e escraviza. Quando isso acontece, ela se torna um mau hábito."

O grupo de Vespe lança uma campanha anual que estimula as pessoas a ficarem uma semana sem assistir à televisão. "Para muitos, o simples fato de perceber que seu mundo não pára sem a TV – na verdade, sua vida torna-se melhor – abre seus olhos. Um dos aspectos mais perigosos do uso que fazemos da televisão é que, para muitos de nós, ele é automático. A TV está ali, então nós a ligamos. Está passando algum programa, então nós vemos. Se fizéssemos qualquer outra coisa de maneira tão automática e impensada, pareceríamos loucos, mas quando usamos a TV dessa mesma maneira ninguém nos questiona."

Margareth e Bob ouviram Vespe e decidiram não assistir à televisão por uma semana. "Não tenho grande vontade, mas assisto à TV assim mesmo. É uma reação igual à que se tem diante de um acidente de automóvel: você olha, mesmo sabendo que não deveria", explicou Margareth. Ela avalia que a semana que passou sem televisão teve efeitos surpreendentes. "Tínhamos caído numa rotina. Queríamos voltar a ter um tempo com a família, conversar, ler, sairmos juntos. É tão fácil sentar ali e ficar olhando. Mas conseguimos não ligar a televisão durante toda a semana – agora veremos se somos capazes de mantê-la assim. Será um bom teste para nós."

☺ ☺ ☺

As pessoas que assistiam à televisão durante um tempo acima da média diária tinham chances vinte e seis por cento menores de se sentirem satisfeitas com seus relacionamentos do que aquelas que o faziam durante um tempo abaixo da média diária.

Hetsroni, 2000

36

Não traga trabalho para casa

A maior parte do tempo que passamos acordados é dedicada ao trabalho. Aprendemos desde cedo a valorizar o trabalho árduo e as recompensas que ele nos trará. Entretanto, ouvimos muito pouco sobre os esforços necessários para manter um relacionamento e sobre as recompensas que esses esforços irão nos trazer. Trabalhar demais não é o mesmo que trabalhar bem. No fim de um longo dia, não podemos permitir que o trabalho continue tomando conta dos nossos pensamentos e do nosso tempo.

☺ ☺ ☺

James Keller faz projetos de escritórios residenciais – espaços destinados a se tornar escritórios dentro de residências. "Os espaços que projeto precisam atender a duas funções. Precisam ser uma casa durante parte do dia e um escritório durante a outra. Se você pensar bem, uma pessoa também é isso – um membro da família durante uma parte do dia e um trabalhador durante a outra."

O conceito de Keller sobre um escritório residencial não é o de um espaço que convide ao trabalho todas as horas do dia. "No final do expediente, você precisa apagar as luzes do escritório, fechar a porta e, então, ver sua casa como um lar. Você poderia dizer: 'Trabalho neste local de nove às cinco. No final do expediente, limpo tudo e ele se transforma numa parte da casa outra vez.'"

A experiência de Keller o leva a observar: "Quando se trabalha em casa, é preciso uma disciplina especial para separar as questões profissionais das familiares. Mas conheço muitos casais que, embora um dos dois ou os dois trabalhem fora, levam trabalho para casa de várias formas. Pode ser um trabalho concreto que os impede de conviver com a família, ou o trabalho mental, à medida que ficam tão preocupados com as questões profissionais que não lhes sobra disponibilidade interior para ouvir o cônjuge ou conversar com os filhos. Essas pessoas podem até ser bem-sucedidas e acumular riquezas materiais, mas acabam perdendo a riqueza primordial, que é o aprofundamento da relação amorosa."

☺ ☺ ☺

As pessoas viciadas em trabalho, que não conseguem se desligar de suas obrigações, estão três vezes mais propensas a afirmar que sua vida pessoal é insatisfatória.

Porter, 2001

37

Nós projetamos nossos sentimentos nos outros

É difícil, algumas vezes bastante difícil, descobrir o que os outros estão pensando e sentindo. Temos a forte tendência de projetar nos outros nossos próprios pensamentos e sentimentos, acreditando que eles são quase iguais aos das outras pessoas. O perigo deste hábito é muito claro. Ao fazer isso, desconhecemos as diferenças essenciais entre nós e as outras pessoas, e passamos a agir apoiados em bases falsas.

☺ ☺ ☺

É muito freqüente encontrar casais com termostatos incompatíveis. Você os conhece: ela morre de frio sob camadas de roupas, enquanto ele está de bermudas e camiseta em pleno inverno. É um problema comum. O importante é como eles lidam com uma situação sobre a qual, por razões metabólicas, nenhum dos dois tem controle. Mas essas diferenças talvez sejam mais fáceis de lidar do que diferenças de temperamento.

Tim é um homem alegre e sociável, que gosta de festas, reuniões, encontros com amigos. Nas festas, tira para dançar as mulheres que não têm par, e às vezes sai para almoçar com amigas do trabalho. Mary morre de ciúmes, atribuindo ao marido intenções de sedução que ele nega com veemência. Os atritos são constantes porque Mary projeta no marido todas as histórias de traição que já ouviu e presenciou, sem conseguir acreditar que, de fato, por tratar-se de uma pessoa extrovertida e comunicativa, ele se relaciona com amigas e amigos com a mesma espontaneidade.

Mary Lou Murray, psicóloga clínica, afirma que muitos casais têm problemas para enxergar as situações do ponto de vista do outro. "Não se trata de aceitar indiscriminadamente qualquer escolha do outro. Afinal, são duas pessoas que convivem e precisam negociar aquilo que contribui ou prejudica o relacionamento. Mas isso só é possível partindo do pressuposto de que são duas pessoas bastante diferentes, que as características de cada um devem ser conhecidas e respeitadas para, a partir daí, poder se estabelecer os acordos."

☺ ☺ ☺

Em relacionamentos de amizade ou amorosos, mais de oito entre dez pessoas partem do pressuposto de que suas preferências e aversões são semelhantes às de seus parceiros.

Watson, Hubbard e Wiese, 2000

38

O amor é cego, mas as pessoas, nem sempre

As regras que definem os casamentos aceitos pela sociedade estão aos poucos desaparecendo. Por exemplo, já não se espera com a mesma intensidade que as pessoas só se casem com parceiros da mesma raça ou etnia. Entretanto, é preciso ter consciência dos desafios que precisarão ser assumidos e enfrentados quando houver essas diferenças, porque existe ainda muito preconceito no mundo. Relacionamentos entre pessoas de culturas diferentes podem trazer o fardo da dor de lidar com o mundo ou podem ser fortalecidos quando o casal se insurge contra a intolerância.

☺ ☺ ☺

Quando Anna e seu namorado, Leroy, decidiram casar-se, tiveram que ir até o Novo México para realizarem a cerimônia. O ano era 1953, e o estado do Colorado não autorizava casamentos inter-raciais. Mas Anna e Leroy retornaram ao Colorado e se estabeleceram ali.

Eles construíram uma vida feliz e tiveram cinco filhos. Mas, quando saíam juntos, Anna e Leroy eram regularmente hostilizados, desde olhares de desprezo até palavras agressivas. Embora sentissem a crueldade do racismo, o casal fora abençoado com a inteligência e a força para ultrapassá-la.

Anna não era uma pessoa que hesitasse diante de uma situação como essa. Nos anos sessenta, ela se tornou a presidente local do Congresso para a Igualdade Racial, organizando piquetes em frente a lojas que adotavam práticas discriminatórias de contratação de pessoal e enfrentando sem medo palavras grosseiras contra o seu grupo.

Mesmo nos dias de hoje, Anna admite que "existe sempre um potencial de risco quando eu e Leroy somos vistos juntos. Nós gostaríamos de acreditar que as pessoas não serão mais tão desprezíveis, mas, infelizmente, constatamos que são". Anna prefere não lembrar dos momentos dolorosos que, segundo ela, "foram terríveis". Em vez disso, ela se concentra nos momentos mais felizes. "Nossa vida juntos, apesar de não ser fácil, tem sido maravilhosa. E ainda que a evolução seja mais lenta do que gostaríamos, constatamos algum progresso. Hoje já nos sentimos pertencendo a uma comunidade muito maior – aquela sensação de estarmos conectados uns aos outros como seres humanos."

☺ ☺ ☺

Casais inter-raciais que se sentem fortalecidos pelo compromisso mútuo têm uma probabilidade três vezes maior de permanecerem juntos depois de um ano do que os casais inter-raciais que sentem que seu relacionamento os impede de fazer parte de determinado grupo.

McFadden, 2001

39

O equilíbrio depende do lado em que você se apóia

Todos nós sabemos que devemos nos empenhar na busca pelo equilíbrio em nossas vidas. Precisamos agir com moderação. Mas as atitudes necessárias para melhorar dependem da direção para a qual estamos naturalmente caminhando. Aqueles que trabalham horas a fio e concentram grande parte de sua atenção na carreira devem ter como prioridade um comprometimento maior com o tempo dedicado ao relacionamento e à família. Mas para aqueles cujo foco principal é a família, um tempo maior trabalhando fora de casa é um fator que reforça a saúde do relacionamento e da vida familiar.

☺ ☺ ☺

Ele escreve, dirige, ajuda a administrar uma companhia teatral da qual é fundador e, em seu tempo livre, é ator em *Friends,* o famoso seriado da televisão. Mas David Schwimmer também reconhece os limites de seu trabalho. "Acho muito triste que as pessoas sacrifiquem suas relações afetivas em nome de quinze minutos de fama. O sucesso profissional é uma espécie de droga: a gente se vicia nele e tudo o mais fica secundário. Eu nunca me senti bem nessa situação. Mas é preciso muito esforço consciente para escapar da sedução de conviver com celebridades, ir às festas de Hollywood, mergulhar no glamour desse estilo de vida. Já caí nessa tentação e paguei um alto preço nos meus relacionamentos. Hoje percebo a frivolidade de tudo isso e quero investir para criar laços sólidos de relacionamento e constituir uma família."

Entretanto, Schwimmer diz que ainda existe um vazio em sua vida nos dois aspectos citados. "Sou viciado em trabalho e isso tem me atrapalhado bastante. Não consegui encontrar um equilíbrio saudável entre a minha vida profissional e a pessoal. É uma falha que ainda não consegui resolver. Mas continuo investindo e sei que esse momento vai chegar e minha vida vai mudar."

☺ ☺ ☺

Estudos demonstraram que o equilíbrio entre a vida profissional e a pessoal é consistentemente diferente para homens e mulheres. A maioria das mulheres expressa maior satisfação com a vida familiar à medida que trabalha mais horas fora de casa. A maioria dos homens expressa menos satisfação com a vida familiar à medida que trabalha mais horas fora de casa.

Marks, Huston, Johnson e MacDermid, 2001

40

Antecipe-se a acontecimentos marcantes

Em relacionamentos de longo prazo pode haver uma acomodação que nos faz cair numa certa rotina, sem nos darmos conta do que está acontecendo com nossos sentimentos em relação ao nosso parceiro e à vida de um modo geral. Muitas vezes é preciso que haja acontecimentos marcantes – mortes, mudanças no trabalho, filhos saindo de casa, envolvimento de um dos parceiros com outra pessoa – para nos levar a uma mudança. Esses eventos nos estimulam a olhar para nós mesmos e para os nossos relacionamentos, muitas vezes levando-nos a questionar os caminhos que escolhemos. Dedique algum tempo para refletir sobre sua vida, sem esperar que algum acontecimento marcante obrigue você a isso. E, quando algo impactante acontecer, dê-se um tempo para adaptar-se e digerir o trauma. Não tome decisões importantes no momento do impacto.

☺ ☺ ☺

Carol e Bill, segundo suas próprias palavras, estavam navegando pela rotina do casamento. Quando seus dois filhos saíram de casa num intervalo de poucas semanas, o casal começou um processo de profunda contemplação da jornada que haviam feito juntos.

"Nós dois percebemos que estávamos ficando cansados", disse Bill. "Vivíamos repetindo as mesmas discussões, fazíamos as coisas sem entusiasmo. Estava ficando absolutamente monótono."

Carol prosseguiu: "Tínhamos caído numa certa mediocridade e pensávamos: 'Será que uma vida chata é o destino das pessoas casadas?' O entusiasmo, a eletricidade, a vibração e a motivação, tudo isso ficara no passado."

A saída dos filhos quebrou a rotina, e os dois verificaram que, se não houvesse uma mudança no casamento, correriam até o risco de se separarem. Decidiram então atacar o problema, motivados pela lembrança da felicidade que sentiam nos primeiros anos de casados.

Para curar a distância que os estava separando, resolveram começar o dia andando juntos na natureza, dividindo seus sentimentos e planejando atividades em comum que lhes dessem alegria. Durante o casamento tinham desenvolvido o hábito de escreverem bilhetes um para o outro. "No começo os bilhetinhos são amorosos e inspiradores. Vinte anos depois, o único bilhete que você recebe diz: 'Não se esqueça de comprar o leite.' Decidimos mudar isso."

"Resolvi que Bill seria a minha prioridade número um", disse Carol. Bill também está animado com o rumo que o relacionamento está tomando. "Gostaria que tivéssemos acordado para isso há mais tempo, que não tivéssemos esperado por algum acontecimento para mudar os antigos padrões."

☺ ☺ ☺

Depois de acontecimentos marcantes em suas vidas, as pessoas apresentam uma probabilidade oito vezes maior de questionar a saúde de seus relacionamentos.

Schwartz, 2000

41

O futuro é mais importante do que o passado

Quando um relacionamento tem uma história de sucesso, alguns podem imaginar que a tarefa já foi cumprida. Mas isso é tão falso quanto imaginar que jardineiros bem-sucedidos não precisam molhar as plantas e podá-las depois que elas crescem e florescem. O fato de ter confiança em seu relacionamento significa que você sabe o que precisa ser feito, e não que pode ignorar as atitudes necessárias para mantê-lo. A tarefa de manter um relacionamento bem-sucedido nunca termina, pois ele é uma construção para o futuro e não uma simples continuação do passado.

☺ ☺ ☺

Setenta datas do Dia dos Namorados já se passaram desde que Meyer e Nellie se conheceram. E sessenta e oito desde que se casaram. Mas isso não impediu Meyer de sair do hotel para aposentados onde vivem e aventurar-se pelas ruas de Nova York em busca de uma caixa de chocolates para comemorar a data com a esposa. Durante o jantar organizado no hotel em homenagem ao casal, por serem os que estão casados há mais tempo, os dois deram seu depoimento.

"Sempre vimos nosso relacionamento como uma plantinha preciosa que tinha que ser tratada com o maior cuidado", Meyer falou. "E era assim mesmo que nos referíamos ao nosso casamento. De vez em quando, eu perguntava a Nellie, 'Como vai nossa plantinha?', e, quando ela me respondia 'Acho que está precisando de um pouco mais de água', era a forma de dizer que eu estava lhe dando pouca atenção. Ou então era eu quem alertava: 'A nossa plantinha está precisando de ar fresco.' Saíamos então os dois para viajar durante alguns dias e ficar sozinhos, reabastecendo nosso relacionamento. Foi com essa imagem da plantinha que exigia cuidados que mantivemos nosso amor. Vocês podem estar vendo dois velhinhos de pele enrugada, mas podem ter certeza de que a nossa plantinha continua viva e viçosa, cheia de flores."

☺ ☺ ☺

A satisfação no casamento está oito vezes mais relacionada a investimentos constantes que garantem a manutenção do amor do que a momentos de paixão no passado.

Karney e Frye, 2002

42

Vocês não precisam concordar em tudo

O que você enxerga no mundo não é a realidade pura e objetiva, mas uma visão da realidade baseada, em parte, na sua forma de ser. Algumas pessoas já argumentaram que o segredo para uma comunicação de sucesso numa relação está em encontrar alguém que olha o mundo da mesma maneira que você. Em outras palavras, encontre alguém que tenha a sua visão do mundo e você vai encontrar alguém que vê o relacionamento da mesma forma que você. Apesar da lógica dessa teoria, na verdade o sucesso de um relacionamento não depende de uma mesma visão do mundo. Ao contrário, o respeito pela visão do outro é muito mais importante do que uma conformidade constante.

☺ ☺ ☺

Quando psicólogos perguntaram a pessoas que estavam casadas há muito tempo que parte de seus votos de casamento estava faltando ser cumprida, muitas falaram sobre entendimento e respeito às diferenças.

"Quando nos casamos, eu considerava que o ideal era concordar em tudo", disse Mary, uma das pesquisadas. "Levei muito tempo para perceber que isso não é necessário e que o importante é reconhecer e respeitar as diferenças." Mary ficava realmente aborrecida quando não conseguia fazer o marido concordar com ela em algo que considerava importante. Hoje, após duas décadas de casamento, "economizamos tempo e criamos um relacionamento melhor quando concluímos que nenhum dos dois precisa tentar mudar o outro".

E acrescentou: "Vejo as coisas da seguinte maneira: o crescimento no casamento se dá exatamente porque existem diferenças. É claro que tem que haver semelhança de valores, como honestidade, integridade e justiça. Mas as características, os gostos, os ritmos e até a forma de viver os valores essenciais são diferentes. Dessa troca de diferenças sai um grande enriquecimento mútuo. Reconhecer e respeitar as diferenças nos ensina a tolerar, a ter paciência, a negociar, a ceder, a expressar nosso ponto de vista e ouvir o do outro, até para poder descobrir outras formas de encarar a realidade. Em todo este processo há um grande enriquecimento mútuo."

☺ ☺ ☺

O número de áreas nas quais os casais discordam não determina o tempo que passam discutindo. Ou seja, os casais que têm muitas opiniões em comum não se comunicam ou se relacionam melhor do que os casais que têm menos opiniões em comum.

Dufore, 2000

43

Sejam abertos um com o outro

Talvez você se surpreenda com o fato de não se poder afirmar que um relacionamento é feliz ou infeliz apenas sabendo se coisas boas ou ruins estão acontecendo a um casal. Mas pense nisso. Muitas pessoas em relacionamentos sólidos e estimulantes estão sofrendo algum tipo de dificuldade na vida, enquanto pessoas que parecem ter tudo que se poderia desejar encontram-se em relacionamentos que estão desmoronando. A diferença não está nas circunstâncias, mas na qualidade de ligação que existe entre os parceiros. As pessoas que mantêm relações saudáveis dividem tudo o que acontece, seja bom ou ruim, com seus parceiros.

Não esconda suas emoções – nenhuma delas. Ao compartilhar sua realidade, você estará compartilhando a sua vida, e os laços que se formarão durante este processo serão uma preciosa ajuda para enfrentar qualquer problema.

☺ ☺ ☺

Raoul Felder tem uma visão singular sobre relacionamentos. Ele é um advogado muito bem casado, que atua na área de divórcios.

"Não acredito que você tenha que ser feliz com o que faz", disse ele. "Isso é um mito. Muitas vezes eu odeio o que faço: representar clientes nos mais difíceis e amargos casos de divórcio." Felder passa os dias representando celebridades que terminaram seus casamentos e desejam uma parte justa dos bens do casal.

Como ele concilia as tarefas de advogado de primeira linha e de dedicado pai de família? "Eu me saio bem no trabalho e na família porque sou um homem aberto. Sou aberto com minha mulher e com meus clientes." Felder enfatizou os benefícios da comunicação completa e clara: "Um bom advogado precisa ser capaz de escrever, ler e falar com total clareza, e isso é muito raro nos dias de hoje. Bons parceiros precisam fazer o mesmo, precisam partilhar tudo um com o outro – as alegrias, as preocupações, as dúvidas, as discordâncias, com a maior abertura e sinceridade. Isso os torna parceiros de vida, grandes amigos que sabem que podem contar e confiar um no outro."

☺ ☺ ☺

Em estudos sobre casamentos com diferentes tempos de duração, os casais com alto grau de intimidade, ou seja, casais que partilhavam seus pensamentos mais íntimos, apresentaram uma probabilidade sessenta e dois por cento maior de considerar seu casamento feliz.

Pallen, 2001

44

Ressalte o positivo em todos os aspectos da sua vida

A qualidade do casamento não deveria depender de nosso trabalho, de nossa família e de nossos amigos. Um bom dia de trabalho não deveria tornar melhor o relacionamento e um mau dia não deveria fazê-lo menos feliz, assim como uma briga com a mãe não deveria afetar a relação com o marido. Mas nossos sentimentos nem sempre são governados pela lógica.

Na verdade, tendemos a permitir que a maneira como nos sentimos em relação a um aspecto importante de nossa vida influa em outros aspectos. Por isso é importante encarar os acontecimentos da vida sempre de forma positiva, para também dar mais ênfase ao que existe de positivo no relacionamento.

☺ ☺ ☺

Jason tem vinte e seis anos, é inteligente e bonito. Trabalha como programador de software e está terminando o doutorado em engenharia. Ele adora música e cinema, é um rapaz de grande cultura, valoriza a família e é atencioso. Mas, apesar disso, não tem saído com nenhuma moça há bastante tempo. Jason tem quase certeza de que isso se deve à deficiência que o obriga a usar cadeira de rodas.

Muitos deficientes declararam ter lutado com problemas deste tipo desde a adolescência. "É difícil fazer com que as mulheres pensem em você como um possível namorado", disse Jason. "Em nossa sociedade há uma tendência a classificar os indivíduos e, se você tem uma deficiência, ela se torna o atributo principal. Eu tenho uma formação profissional, sou inteligente, leal, e sou também um ser humano com alguns problemas de coordenação devido a um acidente. Para mim, isso é apenas parte do que sou."

Um amigo de Jason, também portador de uma deficiência física, deu-lhe o seguinte conselho: "Viva a sua vida, sinta-se bem consigo mesmo, desenvolva-se ao máximo e um dia você terá a chance de encontrar uma mulher que dará mais valor aos seus aspectos positivos do que à sua deficiência e será capaz de amá-lo pelo que você é, sem se importar com a deficiência que você tem."

☺ ☺ ☺

Quando foram orientadas a discutir decepções, frustrações e outros aspectos negativos de suas vidas, as pessoas mostraram-se vinte e oito por cento mais propícias a dizer algo negativo sobre os seus relacionamentos do que quando foram orientadas a, primeiramente, discutir os aspectos positivos de suas vidas.

Caughlin e Huston, 2002

45

A amizade entre parceiros ajuda muito

Imagine que você fosse fazer uma longa viagem de automóvel com uma outra pessoa. Uma viagem realmente longa. Dias. Semanas. Anos. Décadas. Todo esse tempo numa extrema proximidade. Você iria querer que essa pessoa fosse sua amiga. O que sustentaria esse contato diário não seriam breves momentos de alegria e prazer, mas a amizade, um sentimento mútuo de respeito, admiração e interesse. Relacionamentos duradouros só sobrevivem e florescem quando baseados em uma amizade cultivada com o passar do tempo.

☺ ☺ ☺

Matt e Claire são amigos há quarenta anos. Estão casados há cinco. Eles se conheceram ainda crianças, na escola, e deram o primeiro beijo alguns anos depois, quando freqüentaram a mesma colônia de férias. No segundo grau, um jogo de girar a garrafa lhes deu a oportunidade de um segundo beijo. Estavam alcançando a média de um beijo a cada cinco anos. "As coisas eram muito mais calmas naqueles dias", explicou Claire, com um sorriso.

O relacionamento não progrediu, mas eles permaneceram amigos durante os anos que se passaram. Embora morassem em diferentes estados do país e estivessem ocupados com suas próprias vidas, eles se reencontravam a cada cinco anos nas reuniões de ex-alunos do segundo grau. Nessas reuniões, Matt, como mestre-de-cerimônias, sempre tomava o microfone para anunciar: "Estou vendo que meu primeiro amor está presente e eu ainda estou apaixonado por ela." Eles se alegravam muito com esses encontros e conversavam sobre os velhos tempos, os novos tempos, falavam de suas vidas, de suas famílias e trocavam palavras de apoio. No baile de encerramento acertavam o passo dançando músicas antigas.

Na décima terceira reunião ambos estavam recém-separados. Sentaram-se juntos. Dançaram. Conversaram por horas a fio. E riram muito.

Fizeram planos. Após a reunião, Matt foi visitar Claire inúmeras vezes. Um ano depois, mais de quarenta anos após o primeiro beijo, estavam casados.

Matt e Claire vêem o seu amor como algo inseparável da amizade. "Ela é a minha melhor amiga e eu sou o melhor amigo dela", disse Matt.

☺ ☺ ☺

Em estudos com pessoas que viviam casamentos felizes há mais de três décadas, a qualidade da amizade entre os parceiros foi o fator citado com maior freqüência como responsável pelo sucesso do relacionamento.

Bachand e Caron, 2001

46

As bases são criadas no começo

Relacionamentos são como planetas: movem-se para a frente mas vivem retornando aos mesmos pontos. Os relacionamentos tendem a orbitar em volta de suas origens. Se essas origens foram confiança, amor e respeito, este será o universo da relação. Sem esses valores na etapa inicial, é difícil estabelecer-se uma base sólida.

☺ ☺ ☺

Shaw se considera preparada para encontrar o parceiro ideal depois de devorar uma série de livros sobre a construção de relacionamentos felizes. "É incrível que a gente se prepare tanto para o trabalho, mas entre de cabeça no casamento sem conhecimento do assunto", diz ela.

Shaw gosta de comentar com o namorado os ensinamentos retirados de suas leituras. "No início ele achava esquisito, mas percebeu que isso nos ajuda a examinar as fraquezas da relação, assim como a fortalecê-la." Ela está empenhada em criar hábitos saudáveis. "Estamos tentando resolver os problemas assim que eles surgem e buscando estabelecer uma boa comunicação", afirma.

☺ ☺ ☺

Estudos de longo prazo revelaram que os problemas discutidos de forma produtiva no primeiro ano de relacionamento podem determinar não apenas se ele terá continuidade no futuro, mas também se será ou não feliz anos mais tarde.

Huston, Caughlin, Houts, Smith e George, 2001

47

A dúvida pode ser negativa

Quando estamos em dúvida, costumamos adiar a tomada de decisões. Afinal, tememos tomar a decisão errada. Isso acontece em todos os aspectos da vida, inclusive no relacionamento. A diferença é que a dúvida em relação ao par de sapatos que devemos comprar não afeta a saúde desses sapatos. Por outro lado, a dúvida num relacionamento acaba por desgastá-lo, pois representa a ausência de sentimentos positivos explícitos – uma ausência que ambos os parceiros irão perceber. E a falta do positivo transforma-se em negativo.

☺ ☺ ☺

Dorothy e Richard casaram-se em 1938, logo após terminarem o segundo grau. "Todos os nossos amigos achavam que nosso casamento não iria durar", disse Dorothy. "Éramos tão jovens, foi uma surpresa para todos. Mas nós queríamos que desse certo e, por isso, não tínhamos a menor dúvida de que íamos conseguir superar as dificuldades e ser felizes. Até porque nós gostávamos muito um do outro."

A dificuldade maior foi econômica. O dinheiro era contado, nenhuma despesa supérflua era possível e ir ao cinema uma vez por mês um verdadeiro luxo. "Mas tínhamos um ao outro", explicou Richard, "e conseguíamos extrair alegria das menores coisas. Houve momentos extremamente difíceis, que ameaçaram desgastar nosso relacionamento. Porém, tínhamos tanta certeza de que nossa felicidade dependia do nosso bom entendimento que sempre investimos para manter a harmonia entre nós."

Richard prosseguiu: "Trabalhamos arduamente. Mas isso nos aproximou. Nunca duvidamos do nosso relacionamento, nunca perguntamos por que não possuíamos determinadas coisas. Tínhamos um ao outro e não havia nada mais importante do que isso."

☺ ☺ ☺

Um dos fatores que mais permitem prever um futuro divórcio entre pessoas recém-casadas é a expressão contínua de sentimentos ambivalentes. O número de divórcios num período de quatro anos foi três vezes maior entre os casais nos quais um ou ambos os parceiros mencionaram dúvidas constantes em relação aos seus sentimentos.

Huston, Caughlin, Houts, Smith e George, 2001

48

Dividam as tarefas domésticas

São desagradáveis. Não têm a menor graça. Ninguém as elege como atividade predileta. Mas as tarefas domésticas precisam ser feitas. Os relacionamentos funcionam melhor quando ambos os parceiros reconhecem este simples fato e assumem uma parcela dessa carga de trabalho.

☺ ☺ ☺

A professora de sociologia Suzanne Bianchi completou um importante estudo sobre o trabalho doméstico. Ela descobriu que as mulheres assumem a maior parte da carga. "Nós mulheres sofremos desde muito cedo uma lavagem cerebral muito maior do que podemos imaginar – provavelmente um excesso de tempo assistindo na mídia a mulheres em êxtase por causa de um chão encerado e brilhante ou em grande sofrimento por causa de colarinhos sujos. Os homens não têm esse condicionamento. Eles reconhecem um fato essencial sobre o trabalho doméstico – é uma coisa muito chata."

Suzanne Bianchi afirma que, embora nem o homem nem a mulher desejem fazer o trabalho doméstico, na cabeça de ambos ele cabe à mulher. "Se o homem começa a ficar incomodado pela sujeira, logo diz que 'esse lugar parece um chiqueiro' ou pergunta 'como é que alguém consegue viver assim?' e olha com ar acusador para a companheira. Ele sabe que toda mulher – mesmo que tenha uma carga horária de trabalho profissional igual à do marido – possui um ponto sensível: a culpa pela bagunça da casa. Se ele insistir nesse ponto o suficiente, ela correrá para arrumar a casa. A não ser que tenha consciência de que esta é uma tarefa dos dois."

Apesar de tanto conhecimento sobre o assunto, a Professora Bianchi também é vítima desse padrão. "No casamento é a mulher quem faz mais questão de ter a casa arrumada e limpa. O homem suporta mais a sujeira e a bagunça. Em geral, ele é o responsável por roupas sujas jogadas no chão, toalha molhada sobre a cama. A minha tranqüilidade vem de uma casa organizada e limpa, por isso acabo fazendo a maior parte do trabalho."

Entretanto, ela percebe uma importante tendência que pode mudar essa relação. Não se trata de uma queda-de-braço em que cada um quer vencer, mas da possibilidade de os parceiros irem tomando consciência da situação e poderem dividir de forma mais justa as tarefas. "Mas", diz Suzanne, "ainda temos um longo caminho pela frente."

☺ ☺ ☺

Os casais que dividem a responsabilidade pelas tarefas domésticas avaliam que estão dezenove por cento mais satisfeitos no relacionamento do que os casais nos quais um dos parceiros executa a grande maioria dessas tarefas.

Allen e Webster, 2001

49

Um relacionamento começa com você

As pessoas precisam sentir-se amadas. E quase todas acreditam que os relacionamentos amorosos irão preencher essa necessidade. Mas, se não estiver feliz com você, se não gostar de você, nenhum relacionamento irá mudar isso e você terá dificuldades para manter relacionamentos saudáveis.

☺ ☺ ☺

Tess, uma contadora de meia-idade, sempre se perguntava se os relacionamentos eram iguais à história do ovo e da galinha: o que vem primeiro, uma auto-imagem saudável e positiva, ou relações saudáveis?

Ela percebeu que, se procurava auto-estima no amor que recebia dos outros, ficava vulnerável e dependente. "Se alguém gostava de mim, eu me sentia valorizada; se me rejeitavam, eu passava a ser a última das criaturas. Recorri à terapia para me conhecer melhor e me curtir mais. O efeito foi fantástico: não só passei a me sentir mais feliz, como estabeleci relacionamentos mais gratificantes", conta.

☺ ☺ ☺

Estudos com norte-americanos de classe média revelaram que aqueles que há dez anos sentiam-se satisfeitos consigo mesmos e com sua vida têm hoje chances cinco vezes maiores de estarem mantendo um relacionamento amoroso que consideram feliz.

Paris, 1999

50

Livre-se do fardo da dor

Alguém que feriu você pede desculpas. Foi doloroso, mas você decide que deve perdoar. Entretanto, a dor não vai embora. Você carrega o trauma e pensa nele mesmo sem haver motivo aparente.

É preciso livrar-se da dor. Não é fácil, mas é essencial para a sua felicidade. Remoer a agressão e o sofrimento que ela causou só faz renová-los todos os dias. Pergunte-se: se tivesse que caminhar cem quilômetros e tivesse a opção de carregar um bloco de cimento maciço – um bloco sem valor para você ou para quem quer que seja – ou não carregar nada, o que escolheria? "Por que eu carregaria esse bloco?", você indagaria. O mesmo acontece com os ressentimentos: são blocos de cimento emocional que nos impedem de caminhar.

☺ ☺ ☺

Quando Louise descobriu que seu marido vinha tendo um caso há mais de dois anos, seu sofrimento foi tão dilacerante que em certos momentos ela achou que preferia morrer a continuar convivendo com aquela dor. Brad ficou desesperado: ele era uma boa pessoa, um pai dedicado, um marido afetuoso. A outra mulher, uma colega de trabalho, aparecera num momento em que ele e Louise estavam distantes um do outro, cada um mergulhado em seus próprios afazeres e interesses. Ele escondera o caso da esposa por fraqueza, mas também porque a amava e queria manter seu casamento.

Foi um processo longo e penoso, com muito choro, acusações, ameaças de separação. Mas, quando a dor perdeu sua agudeza, Louise foi começando a ter capacidade de pensar e se dar conta de que o marido não era apenas aquele monstro que a enganara. Passou a vê-lo com outros olhos, como se o estivesse agora conhecendo melhor com suas qualidades e fraquezas, com sua força e carências. Percebeu também o quanto descuidara do relacionamento, como o deixara sozinho e ignorado.

Hoje, passados alguns anos, Louise e Brad vivem uma relação renovada, mais madura e verdadeira. Louise percebe que ficou uma cicatriz do trauma sofrido, mas procura não deixar que ela afete sua vida e a felicidade do casal. Ambos concordam: "É uma felicidade que tem que ser construída dia a dia, todos os dias, com o maior cuidado e atenção."

☺ ☺ ☺

Estudos revelaram que aqueles que experimentaram uma significativa decepção com seus parceiros e conseguiram perdoá-los verdadeiramente têm a mesma probabilidade de manter um relacionamento feliz do que aqueles que nunca experimentaram decepções semelhantes em seus relacionamentos.

Alvaro, 2001

51

Desenvolva uma calma saudável

É mais fácil manter uma comunicação saudável quando não temos tendência a acessos de raiva. Manter a calma em situações estressantes nos permite não apenas ouvir o parceiro com mais atenção, mas também pensar com mais clareza sobre a situação. Se você for uma pessoa propensa à raiva, tome conhecimento dessa sua característica e procure administrá-la da melhor maneira possível.

☺ ☺ ☺

"Sabe aquele momento em que você fala alguma coisa e, enquanto as palavras ainda estão no ar, você se arrepende de não ter ficado de boca fechada? Isso acontecia comigo o tempo todo", admitiu Tom.

Tom estava cansado dos estragos que vinha causando aos seus relacionamentos por dizer coisas que exageravam os seus sentimentos ou feriam mais do que ele se dava conta. "Eu não tinha controle sobre a minha raiva. Ela jorrava de dentro de mim com uma violência assustadora." Solidário com a aflição de Tom, seu melhor amigo deu-lhe um livro que ensinava como administrar a raiva. Tom passou a colocar em prática os ensinamentos do livro e, depois de algum tempo, já conseguia conter melhor a sua raiva. Ele nos conta: "O livro me ensinou exercícios de relaxamento e meditação que foram me acalmando. Hoje, quando sinto a raiva irromper dentro de mim, a primeira coisa que faço é me afastar, antes de dizer ou fazer qualquer coisa desastrosa. Se tenho chance, ando durante algum tempo na natureza, prestando atenção nos meus passos e procurando respirar profundamente. Tento me colocar no lugar da pessoa que causou minha raiva, para entender seus motivos. Se acho que ainda não tenho condições para conversar, peço um tempo ou, em casos extremos, escrevo um bilhete. Sei que vou ter que lutar contra essa tendência sempre, mas os resultados que vou alcançando me dão muita alegria e já trouxeram benefícios para todos os meus relacionamentos."

☺ ☺ ☺

As pessoas que ficam com raiva rapidamente experimentam mais desavenças em seus relacionamentos, e essas desavenças continuam por um tempo oitenta e um por cento maior do que as desavenças das pessoas que tendem a permanecer calmas.

Berry e Worthington, 2001

52

Pense em seu próprio ideal

As imagens expostas pela mídia mostram mulheres e homens que, em seu aspecto externo, são ideais de perfeição e beleza. Pense na primeira imagem que teve da pessoa com quem imaginou se casar. Para muitos é difícil mudar as expectativas de relacionamento, pois suas origens foram formadas por essas imagens na infância e adolescência. Precisamos nos livrar dessas imagens de ficção e construir um relacionamento baseado nos valores e características que hoje são realmente importantes em nossas vidas.

☺ ☺ ☺

Michelle tinha certeza de que encontrara o homem perfeito. "Ele tinha o emprego perfeito, a aparência perfeita, tudo perfeito." Ao casar-se com ele, Michelle vivera um verdadeiro conto de fadas.

Então, a realidade começou a se impor. "Ele se tornava mais distante a cada dia. Era como se eu estivesse casada com uma fotografia na parede e não com um ser humano." À medida que a verdade de seu casamento ia se revelando, Michelle culpava a si mesma. "Até o dia em que ele foi embora e minha auto-estima afundou ainda mais."

"Eu me perguntava como aquilo tinha acontecido. Então me dei conta do quanto eu estava despreparada para avaliar as qualidades capazes de fazer a felicidade na vida em comum. Ele se parecia com um personagem de cinema, de novela. Se eu o tivesse contratado como ator para fazer o papel de meu marido, acredito que teria dado muito certo."

Cinco anos depois, Michelle está feliz num outro relacionamento, dessa vez com alguém que considera real. "Aprendi a dar valor ao que é realmente importante. Dinheiro e aparência certamente são muito sedutores, mas a vida cotidiana no casamento é muito diferente e requer caráter, personalidade, generosidade, compreensão e compromisso, coisas que dinheiro nenhum pode comprar e que a aparência não garante. Além do mais, dinheiro ou aparência podem se desgastar com o tempo, enquanto as qualidades essenciais só se aprimoram."

☺ ☺ ☺

Pesquisas com casais que viviam casamentos com altos níveis de conflitos revelaram que, em mais da metade dos casais, a origem das desavenças estava relacionada à frustração de um ou de ambos os parceiros, por terem feito suas escolhas baseadas numa imagem idealizada. Quando os parceiros conseguiram conversar e descobrir o que era de fato importante em seus casamentos, trinta e oito por cento afirmaram que os conflitos diminuíram de maneira significativa.

Philpot, 2001

53

Seja sempre flexível

Você está com a sensação de que já teve essa discussão antes? Num relacionamento, os parceiros costumam perceber que os mesmos assuntos e os mesmos tipos de conflito reaparecem várias vezes. Isso acontece porque as pessoas tendem a adotar uma maneira de solucionar conflitos nos primeiros meses da relação e mantêm esse padrão nos anos, e até nas décadas, seguintes. Em geral essa forma de solucionar conflitos foi aprendida em casa, vendo o casamento dos pais, numa época em que a relação entre homem e mulher tinha características bem diferentes das atuais.

☺ ☺ ☺

Marilyn vinha de uma família bastante tradicional e cheia de regras e certezas. Como seus pais, casados há vinte e cinco anos, tinham uma vida considerada feliz, ela absorveu essas regras como garantia de um bom casamento. Durante o tempo de namoro e noivado, a rigidez das regras causou pequenos atritos que se evidenciaram no casamento.

Uma das regras era: "O casal deve estar junto em todas as suas atividades." Por isso, quando John anunciou que não queria abrir mão do seu jogo de futebol semanal com os amigos, Marilyn imediatamente disse que o acompanharia. Para sua surpresa, o marido respondeu com um não, falando que preferia estar sozinho, que ela iria aborrecer-se e, de certa forma, tirar a liberdade do grupo. Marilyn sentiu-se ofendida, insegura, e, tal como vira sua mãe agir nas mesmas situações, nada disse e fechou a cara.

Essa situação repetiu-se em outras ocasiões. John não via qualquer problema em ir tomar drinques com amigos depois do trabalho ou mesmo ir sozinho ao cinema para assistir a um filme de ficção científica, que Marilyn detestava. Os pais de John tinham se separado quando ele era pequeno e ele crescera vendo o pai e a mãe desenvolverem atividades independentes.

O desgaste da relação foi se tornando tão grave que tiveram que recorrer a uma terapia de casal. Nela reconheceram que cada um dos dois tinha que rever os padrões herdados e adquirir flexibilidade para construírem os padrões de convivência que garantissem o relacionamento feliz que desejavam, porque, afinal, um amava muito o outro.

☺ ☺ ☺

Quando orientadas a descrever o estado de seu relacionamento, as pessoas com um alto nível de rigidez em seus hábitos e em sua maneira de pensar – ou seja, com uma resistência a novas idéias e mudanças em geral – revelaram trinta e oito por cento mais problemas do que as pessoas mais flexíveis em suas idéias.

Kurdek, 1999

54

Pense no seu potencial

Num relacionamento, não é necessário que tudo seja perfeito. Sabemos que sempre haverá desafios. O que realmente precisamos é acreditar que somos capazes de melhorar e resolver as dificuldades. Não precisamos resolver cada um dos problemas que surgem – às vezes, no momento, não conseguimos achar uma solução – e é impossível buscar uma completa ausência de discordâncias, porque isso não existe. Mas é preciso confiar que desejamos resolver os conflitos e que, em algum momento, seremos capazes de fazê-lo.

☺ ☺ ☺

Patricia se recorda de uma certa noite em que voltou para casa depois do trabalho e encontrou o marido, Eric, sentado sozinho no escuro. "Minha vida terminou", disse ele. "Não tenho motivos reais para viver."

Um mês antes, Eric conseguira antecipar sua aposentadoria e, cheio de entusiasmo, deixara um emprego altamente estressante. Na ocasião, Patricia estava no auge de sua carreira como consultora. "Eu entendi que Eric sentia falta do ambiente profissional, do prestígio de ser uma autoridade em sua área e até das viagens de negócios, das quais costumava reclamar tanto", disse Patricia. "Ele recebia ligações de todo o país pedindo conselhos sobre problemas de negócios. Agora se sente inútil, entediado, esquecido."

E prosseguiu: "Mas, apesar de entender tudo isso, você acha que eu o abracei e me solidarizei com ele? Nada disso! Fiquei altamente ofendida porque, apesar de ser casado comigo, ele não achava razão para viver."

Pesquisadores da Universidade de Cornell descobriram que muitas pessoas que se aposentam sentem um grande vazio nos meses subseqüentes mesmo quando deixam empregos que detestavam. Patricia sabia teoricamente disso, mas naquele momento não foi capaz de ajudar o marido. Apesar de deprimido, Eric compreendeu a reação da esposa, pois conhecia sua impulsividade e tinha certeza de que, depois, ela teria chance de refletir.

Assim aconteceu. Passado aquele momento, Patricia foi capaz de conversar com o marido, ouvi-lo expressar seus sentimentos e oferecer-se para ajudá-lo a descobrir a melhor forma de ocupar seu tempo com uma atividade que lhe desse prazer.

A nova vida de Eric foi construída com a participação de Patricia. Passada a depressão, ele pôde tomar contato com desejos que ficavam desconhecidos por causa do estresse do trabalho. Inscreveu-se num curso de História, onde, como o mais velho da turma, causava sucesso entre os colegas, passou a fazer exercícios físicos regulares, envolveu-se em trabalhos da comunidade e foi descobrindo o seu caminho. "Percebi que enfrento menos estresse e menos exigências", disse ele. "Existe muita felicidade se você procurar por ela. Agora, consigo enxergar isso. Embora minha vida tenha mudado, meu amor por Patricia e meus verdadeiros objetivos permanecem os mesmos."

☺ ☺ ☺

Uma forte crença na força de um relacionamento – a crença de que ele é capaz de seguir em frente e satisfazer os objetivos de ambos os parceiros – é um aspecto presente em quase nove entre dez relacionamentos que prosseguem com sucesso e se firmam como compromissos de longo prazo.

Thomas, 1999

55

Trate da doença e não do sintoma

Desavenças são inevitáveis. Na tentativa de lidar com elas, muitos adotam uma estratégia para resolver o problema imediato. Se o seu parceiro reclama que vocês não saem juntos para se divertir tanto quanto deveriam, você tenta resolver a situação saindo no sábado à noite. Entretanto, grandes problemas costumam se apresentar como meros sintomas. Ou seja, o problema não é o que vocês vão fazer nesse sábado à noite, mas um sentimento geral de tédio que está minando o relacionamento. Se você tratar apenas do sintoma imediato, o verdadeiro problema não ficará resolvido.

☺ ☺ ☺

"Parece bobagem, mas incomoda bastante", Sam admitiu. Sua namorada, Laura, se achava a dona da televisão. "Por exemplo, se eu estou assistindo a um jogo e lendo um jornal ao mesmo tempo, ela vem, agarra o controle remoto e, quando eu me dou conta, lá está um programa que ensina a fazer bolos ou sei lá o quê."

"Eu digo: 'Mas eu estava vendo o jogo.' Ela responde: 'Não estava, não.' E aí começamos a brigar."

Os conflitos continuaram até que Sam e Laura resolveram se sentar e descobrir por que estavam discutindo tanto por um motivo aparentemente insignificante. Laura disse que não entendia por que ele ficava tão zangado. Sam disse que não entendia por que ela não se preocupava com os sentimentos dele. Laura respondeu que era apenas um jogo na televisão. Sam argumentou que esta não era a questão.

Sem conseguir qualquer progresso, eles resolveram chamar uma terceira pessoa para ajudar. "Minha irmã disse que cada um de nós só estava pensando no próprio interesse, tirando conclusões egoístas: eu estava lendo e assistindo ao jogo como se o mundo inteiro girasse ao meu redor, e ela estava tomando conta do controle remoto como se eu não estivesse ali. Sugeriu que examinássemos bem para ver se esta atitude egoísta não se manifestava também em outras ocasiões. Então, começamos a pensar em maneiras de nos respeitarmos mais, de nos colocarmos no lugar um do outro, de consultarmos o outro antes de tomar alguma decisão relativa à nossa vida, de encontrar maneiras de ser atenciosos um com o outro. É incrível como o relacionamento pode melhorar quando temos uma visão mais ampla do que é dividir, preocupar-se com o outro e tratá-lo como desejamos ser tratados."

☺ ☺ ☺

Os parceiros que conversam um com o outro sobre as razões mais profundas de seus desentendimentos, e não apenas sobre o desentendimento em si, aprofundam seu relacionamento. Ou seja, os parceiros com real desejo de acertar as causas de seus conflitos têm chances dezoito por cento maiores de encontrarem soluções para seus desentendimentos e chances doze por cento maiores de se considerarem satisfeitos com o relacionamento.

Palmer-Daley, 2001

56

Descanse: isso vai exigir algum esforço

Todos os comportamentos que promovem um relacionamento sólido e que produzem felicidade, tanto a curto quanto a longo prazo, requerem não apenas um esforço, mas a capacidade de enxergar as coisas do ponto de vista do parceiro. Quando estamos exaustos, esse esforço e essa capacidade ficam comprometidos. Compreenda que o descanso é um ingrediente básico para que você e seu parceiro considerem prazeroso o tempo que passam juntos e sejam capazes de resolver com serenidade seus problemas.

☺ ☺ ☺

Keith toma café a noite inteira. "Escravidão é uma palavra adequada", diz esse veterano motorista de caminhão, casado, pai de quatro filhos, ao descrever seu trabalho. "Mas tenho que fazê-lo. Provavelmente vou me matar para conseguir pagar a universidade dos meus filhos, mas jamais vou permitir que eles acabem atrás do volante de um caminhão."

"Trabalhamos arduamente, muitas horas, dia e noite, para conseguir um salário razoável. E precisamos dirigir, cansados, quilômetros e quilômetros sem poder dormir."

Motoristas de caminhão costumam passar semanas fora de casa, longe da família, comendo e dormindo dentro do veículo. "Sei de colegas que estão trabalhando tanto que já não vão para casa há dois meses. Alguns estão no terceiro ou quarto casamento. Minha mulher queria que eu estivesse em casa nos fins de semana, mas a empresa tinha outros planos para mim. Quando conseguir voltar, estarei tão cansado que, se o sofá pegar fogo, não vou nem perceber. Vou dormir uns dois dias e começar a próxima viagem. E minha mulher vai dizer que eu não estive ali de verdade."

Dirigindo duzentos mil quilômetros por ano, algumas vezes até cem horas por semana, Keith chegou a uma conclusão: "Alguma coisa precisa mudar."

Não é preciso chegar a esse extremo. Quantos parceiros investem toda a sua energia no trabalho profissional, sobrando pouca disposição para o convívio em família e para a administração dos conflitos! São relacionamentos destinados ao fracasso.

☺ ☺ ☺

As pessoas que se sentem excessivamente cansadas descobriram que estavam mais propensas a experimentar conflitos em seus relacionamentos e tinham chances vinte e cinco por cento maiores de se sentirem emocionalmente descontroladas.

Roberts e Levenson, 2001

57

Goste de sua aparência

Se você não se sente bem com sua própria imagem física, não consegue imaginar o que as outras pessoas apreciam na sua aparência. Isso pode abalar a sua autoconfiança, gerando dificuldades para encontrar ou manter um relacionamento. Embora não seja muito lógico, as pessoas associam a imagem que fazem do próprio corpo a um poder maior ou menor. Aquelas que têm uma auto-imagem positiva confiam mais no seu poder de atração. Duas coisas são necessárias: cuidar do próprio corpo e da aparência e esquecer as imagens que a mídia nos impõe do que seja aquele corpo perfeito que raríssimas pessoas têm. E que, além do mais, não é garantia nem de um bom relacionamento nem de felicidade.

☺ ☺ ☺

Qualquer pessoa que, ao se olhar no espelho, tenha visto uma espinha no meio da testa ou achado que seu cabelo está horrível conhece o efeito negativo que isso traz sobre sua autoconfiança. Agora, uma pesquisa realizada por uma professora de psicologia confirmou esse fato.

"Quando nos sentimos mal em relação a qualquer detalhe da nossa aparência ficamos com a auto-estima afetada, nos sentimos mais inseguros, incapazes e com mais tendência a nos criticarmos", afirmou a Professora Marianne LaFrance. Segundo o estudo realizado, essa insegurança afeta tanto as mulheres quanto os homens das diversas etnias.

A Professora LaFrance fez um alerta: "É claro que a auto-estima básica vem de dentro, mas a realidade é muito mais complicada. Em nossa cultura, a aparência física afeta a idéia que fazemos de nós mesmos e a nossa capacidade de tomar atitudes de maneira eficaz."

☺ ☺ ☺

Pesquisas revelaram que adultos norte-americanos acreditam que as pessoas que possuem corpos atraentes e boa aparência têm chances cinqüenta e nove por cento maiores de conseguir um bom casamento e chances quarenta e oito por cento maiores de ter uma carreira de sucesso quando comparadas a pessoas que possuem corpos e aparências menos atraentes.

Bush, Williams, Lean e Anderson, 2001

58

Não idealize o passado

Nós temos uma tendência a idealizar o passado. Os tempos eram mais felizes, a vida, mais fácil, e as famílias, mais fortes. Como se sabe, as definições da vida familiar têm mudado drasticamente nos últimos cinqüenta anos, e o número de divórcios está muito mais alto. As tradições do passado, porém, incluíam casamentos baseados numa ligação quase inexistente entre os parceiros e, no caso de uma união sem amor, a expectativa de uma vida inteira de sofrimentos, já que não havia alternativa. Hoje, apesar de enfrentarmos o desafio de encontrar e de manter relacionamentos felizes, também temos ao nosso alcance as oportunidades e a liberdade que não existiam no passado.

☺ ☺ ☺

O veterano ator e comediante Mickey Rooney é um pedaço vivo da história do entretenimento, tendo atuado desde a infância até agora, quando está numa idade em que a maioria das pessoas já teria se aposentado.

O espetáculo de variedades que ele apresenta em várias cidades nos Estados Unidos é uma retrospectiva de sua carreira e de sua vida. Com ele no palco está sua mulher, Jana Chamberlin Rooney. E, através de trechos de filmes antigos que são exibidos, juntam-se ao casal muitas das sete ex-esposas de Rooney.

Embora suas experiências na época tenham sido muito melancólicas, Rooney hoje consegue fazer graça com elas. Ele confessa ao público que sua vida era vazia antes de encontrar sua primeira mulher, Ava Gardner. E acrescenta: "A vida de casado com Ava era o máximo. Cara, como ela cozinhava bem! Você já experimentou água frita?"

Enquanto faz o público rir de sua agitada vida amorosa ("Fui casado tantas vezes que tenho marcas de arroz no rosto", ou "Pagar pensão é como encher o tanque do automóvel dos outros; eu já enchi muitos tanques"), ele também dedica o espetáculo à sua atual mulher, elogiando sua paciência e perguntando se ela poderia aturá-lo por mais um dia.

☺ ☺ ☺

Estudos comparando os relacionamentos de hoje aos de cinqüenta ou mais anos atrás revelaram que os níveis de comprometimento não sofreram mudanças e que a maior diferença é que a liberdade para iniciar, manter ou deixar um relacionamento era bem menor no passado.

Medora, Larson, Hortacsu e Parul, 2002

59

Compartilhe os elogios e as culpas

Seja ou não proposital, temos uma tendência a nos dar crédito por tudo o que vai bem e a culpar os outros quando os resultados não são bons. Em geral achamos que um desentendimento foi culpa do outro parceiro, porque você sempre fez tudo para garantir a harmonia do casal. Compreenda que, se você tende a ver as coisas dessa maneira, o mesmo pode acontecer com seu parceiro. Se aprendermos a aceitar parte da responsabilidade pelos problemas e a dividir generosamente o crédito pelos sucessos, estaremos contribuindo para um relacionamento mais feliz.

☺ ☺ ☺

"Vou lhe contar a minha filosofia sobre relacionamentos", disse George, que está casado há mais de sessenta anos. "Ela se resume a duas palavras: 'Desculpe' e 'Obrigado'. Se você usá-las bastante, as coisas irão bem. Se usá-las com parcimônia, encontrará muitos percalços pelo caminho. Se usá-las muito pouco, não chegará muito longe", conclui ele.

"Amo a minha mulher e sempre a amei, apesar de todas as crises. Gostamos de estar juntos. Com o tempo fomos conhecendo nossos talentos e nossas fraquezas, aprendendo a valorizar os sucessos e a compreender as dificuldades. A elogiar e a perdoar. Isso não aconteceu de graça, nem de um dia para o outro, mas foi fruto de um trabalho contínuo. Hoje sentimos um grande orgulho um do outro e muita ternura com os defeitos e falhas que, antes, nos causavam raiva e irritação", explicou. "Houve até alguns poucos momentos em que chegamos a pensar em separação, mas hoje eu jamais pensaria em viver com qualquer outra pessoa que não fosse a minha mulher. Ela é um amor."

George afirmou que o compromisso e a dedicação que se empenharam em desenvolver entre eles facilitaram a tarefa de vencer os desafios da vida. "Como éramos basicamente felizes no casamento, conseguimos lidar melhor com os tempos difíceis. Em outros casais, os parceiros voltavam-se uns contra os outros, porque era a atitude mais fácil a ser tomada."

☺ ☺ ☺

Em entrevistas sobre seus relacionamentos, as pessoas demonstraram uma tendência três vezes maior de atribuir ao parceiro a responsabilidade pelos problemas que enfrentavam e duas vezes maior de enfatizar a própria contribuição nos pontos positivos dos relacionamentos que mantinham.

Johnson, Karney, Rogge e Bradbury, 2001

60

Beba menos

O consumo excessivo de álcool representa inúmeros perigos para a saúde física. Mas também ameaça a estabilidade das relações. O consumo de bebida alcoólica a longo prazo afeta o estado emocional e a visão que temos do mundo, o que significa que aqueles que bebem moderadamente são mais confiantes em seus relacionamentos.

☺ ☺ ☺

Stephen Baldwin, irmão do famoso ator Alec Baldwin, teve que lutar para conquistar o seu próprio espaço, buscando papéis em que os personagens são pessoas introvertidas. "Esses personagens sentem um enorme vazio. Eles usam a indiferença como um escudo protetor. É uma postura que se viram obrigados a criar, depois de terem sido expostos a grandes sofrimentos."

Baldwin não teve dificuldades em interpretar esse sentimento de vazio porque conheceu na própria pele os problemas vividos por seus personagens. Ele atribui uma série de relacionamentos fracassados aos problemas com o álcool, que enfrentou no início da carreira. Stephen mudou sua vida totalmente há dez anos. "É maravilhoso", disse ele. "Parei de machucar a mim mesmo e agora posso estar verdadeiramente ao lado de alguém."

Esse alguém é sua mulher, Kennya Deodata. Baldwin afirmou que "a coisa mais sensata que fiz na minha vida foi casar-me com Kennya".

Ele faz qualquer coisa para promover a felicidade em sua casa, pois "casamento e paternidade são as únicas realidades verdadeiras da minha vida. Eu sei o que é descer ao fundo do poço num processo de autodestruição e nunca mais quero viver esse inferno".

☺ ☺ ☺

Estudos que duraram uma década demonstraram que a baixa freqüência do consumo de álcool está associada a uma probabilidade cinqüenta e sete por cento maior de se manter um relacionamento longo e feliz.

Prescott e Kendler, 2001

61

Compromisso significativo é compromisso mútuo

Por maiores que sejam, só os seus esforços não são capazes de tornar um relacionamento saudável ou feliz. Um relacionamento requer o esforço mútuo de dois parceiros. Não basta que uma das partes esteja empenhada, é preciso que ambos desejem igualmente fortalecer seu compromisso. Num time de remadores, todos precisam se esforçar, mas ninguém pode desenvolver um esforço maior do que os demais, sob pena de fazer o barco rodar. Isso também é verdade nos relacionamentos.

☺ ☺ ☺

Os doutores Johnny e Peggy Emberson desistiram de seus consultórios particulares. Ele era especialista em ginecologia e obstetrícia e ela, dentista. Em vez de dar continuidade a suas lucrativas carreiras nos Estados Unidos, foram juntos para o Nepal, onde utilizam suas habilidades como médicos missionários.

"Você sempre recebe mais do que oferece", disse Johnny a respeito da doação de seu tempo e de seus esforços. Peggy afirmou que ela e o marido desejam empregar seus talentos da melhor maneira possível.

O casal Emberson trabalha num hospital em Katmandu, a capital do país, e ajuda no treinamento de trabalhadores nas áreas rurais. Peggy explicou que ali somente uma pequena parte da população tem acesso a cuidados médicos e que a taxa de mortalidade infantil no Nepal é muito alta.

Como foi que eles tomaram a decisão tão importante de abandonar não apenas a prática da profissão nos Estados Unidos, mas também o seu próprio país? "Somos parceiros em tudo o que fazemos. Foi assim que começamos a vida juntos e é assim que queremos continuar. Johnny me ajudou a pagar a faculdade de odontologia, depois eu o ajudei a pagar a faculdade de medicina. Fomos cem por cento parceiros na decisão de vir para o Nepal. Não poderia ser de outro jeito, é claro. Num relacionamento a dois uma pessoa não pode decidir sozinha que vai para o Nepal. Mas, como existe igualdade de posições e como somos dedicados um ao outro, fizemos o sacrifício por nós mesmos e por um bem maior, e nos sentimos satisfeitos com nossa opção."

☺ ☺ ☺

Estudos sobre a saúde dos relacionamentos que duram há bastante tempo revelaram que os relacionamentos mais estáveis e bem-sucedidos apresentavam um nível quase igual de comprometimento de cada um dos parceiros, mesmo em decisões menores.

Drigotas, Rusbult e Verette, 1999

62

Amizades prenunciam bons relacionamentos

Embora sejam de outra qualidade, as amizades mais próximas requerem as mesmas habilidades de comunicação e o mesmo desprendimento necessários aos relacionamentos bem-sucedidos. A solidariedade e a disposição para se adaptar ao outro são fundamentais em ambos os casos. Observe a forma como você se relaciona com seus amigos: se você é capaz de manter uma amizade, também é capaz de manter um relacionamento amoroso.

☺ ☺ ☺

Beth e Matt se conheceram na escola onde trabalham como professores. No casamento dos dois havia uma grande quantidade de alunos, amigos e professores prestigiando o casal.

"O que eu mais amo em Beth é a maneira como trata os outros", disse Matt. "Foi vendo seu jeito de relacionar-se com os amigos que me apaixonei por ela. Lembro que pensei: 'Uma pessoa capaz de tanta solidariedade será uma companheira encantadora.'"

Beth observa: "O mesmo aconteceu comigo em relação a Matt. Eu ficava encantada com seu jeito de respeitar os alunos e estimulá-los."

☺ ☺ ☺

As pessoas que possuem a habilidade de manter amizades de longo prazo demonstraram ter chances trinta e dois por cento maiores de se sentirem satisfeitas em seus relacionamentos.

Flora e Segrin, 1999

63

O que faz do relacionamento um verdadeiro casamento?

Existem casamentos que duram para sempre e casamentos que duram dias. Existem pessoas que moram juntas a vida inteira e pessoas que moram juntas durante um curto período. Não é o nome que se dá ao relacionamento que determina a sua qualidade ou o tempo que ele irá durar. Decisões sobre como e com quem você vai passar a sua vida são sempre importantes, mesmo que não se trate de um casamento formal. A necessidade de assumir um compromisso e de ser fiel a alguém que se ama é essencial, dentro ou fora do casamento. Um relacionamento é o que duas pessoas fazem dele e só pode florescer se essas duas pessoas forem capazes de fazê-lo durar – independentemente do nome que tenha.

☺ ☺ ☺

Pete e Vanessa vivem numa comunidade muito conservadora, mas não sentiram a menor necessidade de formalizar sua união num cartório ou numa igreja. Por isso eles nunca se casaram oficialmente – nem quando foram viver juntos, nem quando compraram a primeira casa, nem quando tiveram seu primeiro filho, hoje com dezesseis anos de idade.

"Achamos que não seria um papel ou juramentos feitos na frente de um padre que garantiriam a solidez da nossa união. Quando nosso filho foi para a escola, ficamos atentos. Se ele fosse hostilizado por causa de nossa situação, pensaríamos na possibilidade de um casamento formal", disse Pete, que vive com

Vanessa há vinte e três anos. "Mas isso nunca foi um problema."

Vanessa admitiu que a decisão do casal foi motivo de situações embaraçosas. "Minha mãe deve ter mentido para alguns de seus amigos." Mas ela acredita que existe uma verdade mais importante. "O que faz de nosso relacionamento um casamento muito mais real do que muitos legais é nossa dedicação e compromisso um com o outro, a felicidade que o nosso amor construiu apesar de todos os desafios da vida em comum."

Segundo Pete, essas questões estão sendo cada vez mais vistas como escolhas pessoais, independentes dos tradicionais julgamentos morais da comunidade, da família ou da Igreja. "Acredito que o mais importante é a qualidade da relação entre o casal, e não o fato de serem ou não legalmente casados."

☺ ☺ ☺

Embora sessenta e três por cento dos casais que vivem juntos considerem que o casamento traria mudanças significativas em seu relacionamento, os níveis de comunicação, companheirismo e compartilhamento, que antes eram observados exclusivamente entre os que eram casados, hoje são comuns entre os que vivem juntos.

Bumpass e Sweet, 2001

64

O mundo interfere em seu relacionamento

É fácil dizer que nosso companheiro não é responsável pela visão que temos do mundo, mas, quando as coisas vão mal em nossa vida, temos a tendência de culpar nosso relacionamento pelo mal-estar que sentimos. A verdade é que acontecimentos de fora da relação se refletem na maneira como avaliamos nossa vida pessoal. Quando nos sentimos negativos em relação a outros aspectos da nossa vida, isso afeta a avaliação que fazemos do relacionamento e de nossos sentimentos em relação ao parceiro. Reconheça essa tendência e lembre-se que para melhorar seu relacionamento talvez seja preciso fazer mudanças em aspectos e setores que não envolvem diretamente o seu parceiro.

☺ ☺ ☺

John e Sarah mantêm um tipo de relacionamento que chama a atenção das pessoas. "Nosso amor é dedicado, atencioso e, dia após dia, torna-se mais profundo", conta Sarah.

Eles não desenvolveram um relacionamento tão feliz num passe de mágica. Foi preciso respeito, sentimentos compartilhados, empatia e muitos risos para manter viva a relação por mais de vinte e cinco anos.

Mas um acontecimento trágico quase pôs a perder o amor e a dedicação desse casal. Em 1997, sua única filha morreu num acidente. A dor da perda foi dilacerante. Nenhum dos dois conseguia agir. Sua casa não era mais a mesma. Eles não eram mais os mesmos. O casamento era apenas um torpor que dominava seus dias.

Como não havia nenhuma resposta para aquela tragédia, eles começaram a jogar a culpa no único alvo que estava ao seu alcance: eles mesmos. "Não era racional, mas procurávamos todas as maneiras de desviar nossos verdadeiros sentimentos em relação ao terrível sofrimento, piorando a situação para o outro", disse John.

Mesmo sentindo uma dor tão forte que parecia não deixar nada para oferecerem um ao outro, ambos perceberam que, embora nunca mais pudessem ser os mesmos, teriam que lutar para evitar que a relação se tornasse mais uma vítima daquele acidente. Sarah explicou: "Ainda que nossos corações estivessem partidos, sabíamos que o elo entre nós poderia sobreviver se permitíssemos. Choramos, choramos muito, mas logo passamos a chorar juntos. Carregaremos sempre uma imensa dor, mas a dedicação que tivemos um para com o outro nos ajudou a sair do vale de tristezas que tomou conta de nossas vidas."

☺ ☺ ☺

As pessoas que queriam manter o otimismo sobre o futuro e mantiveram uma visão positiva do mundo apresentaram chances quarenta e dois por cento maiores de avaliar o seu relacionamento de maneira positiva do que as pessoas que tinham sentimentos negativos sobre os outros aspectos de sua vida e o mundo exterior.

Symmonds-Mueth, 2000

65

Transforme a intensidade em solidez

Um relacionamento intenso produz momentos de exaltação, tanto de alegria quanto de animosidade. Mas em geral, com o passar do tempo, vai havendo uma acomodação que produz menos reclamações e, por outro lado, menos entusiasmo. Reconheça essa diminuição de intensidade e combata a acomodação, procurando manter com seu parceiro sentimentos profundos e sólidos.

☺ ☺ ☺

"Vivemos numa sociedade que procura soluções rápidas e momentâneas. Quando nos cansamos de alguma coisa, queremos logo nos livrar dela. Se quisermos manter um relacionamento, precisamos dominar essa tendência, sabendo que isso exige um investimento constante e trabalhoso", afirmou o psicólogo Drew Raines.

O Professor Raines reuniu mais de uma centena de voluntários e colocou-os, dois a dois, numa sala. Uma pessoa deveria dizer algo do qual a outra discordava. As discordâncias iam desde a avaliação que faziam do presidente do país ao melhor restaurante da cidade. A partir daí, ele testava a reação da outra pessoa. Ela discordava abertamente? Com cortesia ou agressividade? Era possível manter um clima de amizade, apesar da discordância?

O ponto crucial da experiência era que, numa versão do teste, as duas pessoas na sala não se conheciam e, na outra, elas já mantinham um relacionamento. O Professor Raines descobriu que, "com estranhos, as pessoas conseguiam mostrar-se tolerantes e gentis. Elas refreavam suas críticas, não eram agressivas e respeitavam, ou pelo menos fingiam respeitar, as opiniões do outro". Entretanto, com seus parceiros, elas "desmereciam o que o outro dizia, mostravam sua desaprovação com um certo desprezo e não poupavam críticas".

Isso demonstrou como somos capazes de comportamentos destrutivos que acabam nos prejudicando. Dia após dia, a maioria das coisas mesquinhas, cáusticas, más e furiosas que jamais diríamos a alguém é dita a uma pessoa a quem amamos. Reservamos nossa gentileza para estranhos e maltratamos os mais próximos. Assim não há amor que resista.

Drew Raines explica o que acontece: "À medida que um relacionamento se estende no tempo, corremos o sério risco de ficar entediados. A idealização do início vai se desfazendo e a tendência é desvalorizar nosso parceiro. Nossa disposição a tolerar, aceitar e compreender diminui e acabamos assumindo um comportamento negativo que jamais adotaríamos com uma pessoa recém-chegada em nossas vidas. Em vez de aprofundarmos um relacionamento que poderia evoluir para um amor mais maduro, causamos danos às vezes irremediáveis à relação. Precisamos ficar atentos para não cair nessa armadilha e nos esforçar para redescobrir a alegria no relacionamento."

☺ ☺ ☺

Estudos com casais revelaram que, à medida que o tempo passa, os desentendimentos e dificuldades podem diminuir. Ao mesmo tempo, pessoas que estão casadas há longo tempo demonstram cerca de um por cento menos entusiasmo e alegria na relação a cada ano de casamento.

Kulik, 2001

66

Não se deixe devorar por segredos

Embora a honestidade possa ser considerada a melhor política, algumas verdades são devastadoras demais para serem ditas num relacionamento. Por outro lado, o peso de um segredo pode nos forçar a viver com as conseqüências de nossa desonestidade e se tornar maior do que se tivéssemos falado a verdade. Em situações nas quais você teme que os efeitos da verdade possam destruir seu relacionamento, procure alguém em quem possa confiar para expor os fatos e conseguir algum alívio.

☺ ☺ ☺

Num momento em que seu casamento passava por uma séria crise, Eric envolveu-se com uma colega de trabalho. O caso durou alguns meses, até que ele chegou à conclusão de que queria investir em seu casamento e encerrou a ligação.

Ao reinvestir em seu relacionamento com Doreen, ele achou que não havia necessidade de relatar-lhe o que tinha acontecido, pois, apesar de para ele ser um caso absolutamente encerrado, sabia que iria causar muito sofrimento à esposa. Ela nada lhe perguntara e ele nada falou.

No entanto, a colega não se conformou com o rompimento e pôs-se a assediá-lo, ameaçando contar para Doreen o que tinha se passado. Desesperado, Eric suplicou para que ela não o fizesse, mas, como as ameaças começaram a adquirir um tom de chantagem, tomou coragem e resolveu contar a Doreen o que acontecera. Foi extremamente penoso e, como ele previra, ela sofreu muito, indignou-se, falou em separação. Eric esperou que a mulher se acalmasse para dizer-lhe o quanto se arrependia do que tinha feito e mostrar-lhe o contexto de crise e afastamento em que aquele caso ocorrera. Repetiu inúmeras vezes o quanto a amava e como desejava que continuassem juntos reconstruindo sua ligação. Finalmente, pediu-lhe ajuda para livrar-se da ameaça da colega.

Doreen revelou então sua qualidade de companheira. Apesar de estar sofrendo, acreditou no marido, solidarizou-se com ele e procurou pessoalmente a moça, dizendo-lhe que sabia do caso e que não havia nada que pudesse romper os laços que a uniam a Eric.

☺ ☺ ☺

Entre as pessoas que ocultavam importantes segredos de seus parceiros, vinte e sete por cento relataram ter experimentado indisposições físicas causadas pelo desconforto da dissimulação.

Kelly e Carter, 2001

67

Para encontrar um novo caminho, olhe bem por onde você já andou

Os seres humanos tendem a formar hábitos. Nós repetimos os mesmos comportamentos inúmeras vezes, em geral sem pensar ou refletir. É por isso que compramos o mesmo sabão em pó sem pesquisar as vantagens de outras marcas. É também por isso que tendemos a repetir inúmeras vezes o mesmo comportamento em nossas relações. Há um século, Sigmund Freud afirmou que o modelo – bom ou mau – para as interações humanas é plasmado nas experiências da infância e juventude, e tende a se repetir por toda a nossa vida. A menos que você faça um esforço para refletir sobre o que está fazendo e por que, vai acabar se repetindo muitas vezes e prejudicando seus relacionamentos.

☺ ☺ ☺

Marianne ficou chocada quando descobriu que seu marido mentia. Eram pequenas coisas, como um prato quebrado, a porta de entrada da casa destrancada, a marca de um pé no sofá, até mesmo um problema com o aparelho de som. Eram só os dois na casa, e ela tinha certeza de que fora ele, mas o marido negava com veemência, contra todas as evidências. Marianne tentava até argumentar, dizendo que aquilo era natural, mas ele não voltava atrás. Era um homem bom, dedicado, íntegro, extremamente respeitado em seu ambiente profissional. E, no entanto, mentia. Mais tarde, abrindo por engano uma carta, ela descobriu que ele vinha emprestando dinheiro a um parente, que era um óbvio explorador, pessoa indigna de qualquer confiança, que certamente não tinha qualquer condição ou intenção de devolver-lhe o empréstimo. Interpelado, o marido procurou primeiro negar, mas, como não havia jeito, mostrou-se indignado porque ela "violara sua correspondência".

Marianne procurou mostrar que ela não tinha nada contra o empréstimo, já que o dinheiro era dele, mas que ela via o casamento como uma experiência compartilhada, baseada na verdade e na lealdade, e que era a mentira e a dissimulação que a desconcertavam e feriam.

A situação dos dois entrou em crise e se aproximava perigosamente de uma separação quando o marido de Marianne resolveu abrir o coração. Contou que tivera uma infância e juventude dominadas por um pai extremamente repressor, que lhe causava um medo terrível sempre que ele fazia algo considerado errado. A violência da reação do pai foi estruturando nele uma atitude de dissimulação e mentira para escapar da punição. Agora, mesmo adulto, seu primeiro instinto era esconder-se, fechar-se, não compartilhar, para não receber castigo. Racionalmente, ele sabia que a mulher era boa e compreensiva, mas o instinto era mais forte. Choraram os dois juntos, o marido pediu ajuda, e Marianne renovou seu compromisso, firmado no dia do casamento, prometendo ser fiel "na alegria e na tristeza", contribuindo para que a criança assustada que permanecia intacta dentro do marido pudesse crescer, amadurecer e assumir sua verdade.

☺ ☺ ☺

As pessoas que declararam ter tido sólidos sentimentos de segurança pessoal nos relacionamentos da infância e juventude apresentaram chances trinta e um por cento maiores de serem verdadeiras em seus relacionamentos na vida adulta do que as pessoas que não se sentiam pessoalmente seguras quando crianças.

Lawrence, 2001

68

O dinheiro importa menos com o passar do tempo

Quando pensamos em possíveis parceiros, prestamos mais atenção a coisas que importam cada vez menos com o decorrer do tempo. Assim, quando imaginamos o nosso parceiro ideal, em geral pensamos numa pessoa bonita e rica. Entretanto, na vida real, a importância da riqueza é praticamente nula se comparada com qualidades que dão solidez ao relacionamento.

☺ ☺ ☺

Para fazer com que seus alunos pensem sobre o que é realmente importante, o Professor Todd O'Brien pede que eles entrevistem seus pais. "Perguntem a eles: 'Papai, se você pudesse fazer qualquer coisa com a sua vida que não dependesse de dinheiro, o que você faria?'"

Quando os alunos trazem as respostas, ele ouve incontáveis histórias sobre sonhos adiados e esquecidos. "É impressionante o que as pessoas teriam feito se não tivessem se empenhado tanto em enriquecer", observa O'Brien. "Meu pai passou toda a vida trabalhando no departamento de contabilidade de uma empresa. Era um trabalho monótono. Ele falava em comprar um pomar de macieiras, mas nunca o fez. Jamais me esqueci daquele pomar."

Depois, o Professor O'Brien pede aos alunos que perguntem aos pais sobre as coisas que lhes deram mais felicidade na vida. Nas respostas, o dinheiro tem um papel insignificante.

Depois que os alunos percebem o lugar que o dinheiro ocupa

na vida e nos sonhos de seus pais, o Professor O'Brien lhes diz: "Talvez vocês pensem que suas vidas e relacionamentos serão construídos com base no dinheiro, mas as coisas que irão realmente sustentá-los, que darão sentido às suas vidas e a seu amor, não têm nada a ver com ele."

☺ ☺ ☺

É impossível prever a possibilidade de sucesso do relacionamento apenas com base na renda de um casal, porque o dinheiro não tem nenhuma relação com o que é essencial para a satisfação e a duração do casamento.

Kenrick, Sundie, Nicastle e Stone, 2001

69

Reconheça a importância de valores compartilhados

Quando duas pessoas se encontram, seus valores mais profundos já estão formados e provavelmente perdurarão pelo resto da vida. Por isso, para a solidez de um relacionamento, é necessário que os valores básicos sejam compatíveis. Relacionamentos sólidos dependem de confiança e comunicação. Confiança e comunicação são construídas por valores compartilhados. Quando os valores são semelhantes, é mais fácil e compensador dividir sentimentos e pensamentos.

☺ ☺ ☺

Como o marido costuma dizer, "algumas pessoas entram numa sala e tudo ao seu redor parece iluminar-se. Jane é, definitivamente, uma dessas pessoas. Ela é cheia de vida".

Quando Jane fez trinta anos, tinha o mundo na palma das mãos. Era feliz no casamento, mãe de duas crianças saudáveis, produtora de um programa de televisão. Escrevera canções interpretadas por artistas consagrados e era proprietária de um teatro, onde muitas vezes foram montados espetáculos usando seus próprios roteiros e músicas.

Então, as palavras do médico entraram em sua mente como se fossem a lâmina de uma faca: "A senhora tem um câncer no seio e precisa ser operada imediatamente." Foi como uma sentença de morte, porque, além de ser mutilada, ela temia não se recuperar dessa terrível doença.

Embora devastado pelo medo, o marido de Jane lhe deu conforto e força durante todo o longo e doloroso processo de tratamento. Para ela, a recuperação foi um verdadeiro milagre, cujo processo ela jamais teria suportado sem a mão segura e alentadora do marido.

"Ele não olhou para o meu seio mutilado, mas enxergou o que era mais importante – a nossa vida baseada no amor, no companheirismo e na solidariedade. E que nenhuma doença poderia mudar o vínculo fundamental de nossa vida juntos."

☺ ☺ ☺

A semelhança dos valores de um casal não muda com o passar do tempo. Aqueles que possuem valores semelhantes têm chances vinte e dois por cento maiores de avaliar positivamente os seus hábitos de comunicação.

Acitelli, Kenny e Weiner, 2001

70

O que vem depois do noivado

O noivado é apenas o início do relacionamento. Os noivos estão vivendo as emoções de uma importante decisão que acaba de ser tomada e que, boa ou má, lhes traz enormes expectativas. A excitação do primeiro dia de aulas, ou da compra de uma casa, também é uma emoção nascida de um fato memorável. Entretanto, viver na casa, ir à escola e estar casado são situações totalmente diferentes dos momentos que as precederam. Não julgue a sua própria vida comparando-a a momentos que não representam uma situação constante.

☺ ☺ ☺

Doug e Gloria ansiavam pelo dia do casamento e o noivado foi, para ambos, a realização de um sonho.

Mesmo depois do divórcio, que aconteceu quatro anos depois, Gloria admite que eles têm muito em comum. "Acho que nossas qualidades se complementam de várias maneiras, mas nós éramos, e somos, incompatíveis. Havia muitos pontos de atrito."

Gloria alertou que, "no momento do noivado, as imagens idealizadas que temos na cabeça da maravilhosa vida em comum, da cerimônia do casamento e das delícias da lua-de-mel não nos deixam raciocinar com o pé no chão sobre tudo o que representa de fato dividir sua vida com outra pessoa no dia-a-dia. Hoje vejo o casamento mais como um trabalho constante e às vezes árduo de construção, e menos como um fantasia".

Como escritora, Gloria tem refletido sobre essa idéia em seus trabalhos. "Estou interessada nos extremos pouco saudáveis entre os quais todos nós vivemos", disse ela. "Um noivado não é um conto de fadas, assim como um casamento não é uma prisão."

☺ ☺ ☺

Os psicólogos descobriram que a "distorção idealista", uma tendência a se fazer avaliações positivas irreais de um relacionamento e de um parceiro, é duas vezes maior durante o período de noivado do que durante o namoro que o precede e o casamento que se segue.

Bonds-Raacke, Bearden, Carriere, Anderson e Nicks, 2001

71

Não deixe que as pequenas imperfeições representem o todo

Quando lhes perguntam sobre seus parceiros, as pessoas que vivem juntos há muito tempo não recitam uma enorme lista de reclamações. Não porque consideram seus parceiros perfeitos. Elas apenas não tendem a prender-se aos defeitos. Na verdade, essas pessoas passam mais tempo pensando nos aspectos positivos de seu parceiro e tendem até a relevar suas falhas. Elas percebem a complexa realidade que é o outro e reconhecem que, dentro de cada um, existem aspectos admiráveis e também aspectos lamentáveis, e que, na maioria de nós, os admiráveis predominam.

☺ ☺ ☺

Roddy Cleary já realizou dezenas de cerimônias de união civil, nas mais diversas circunstâncias, desde que uma lei histórica em Vermont permitiu que homossexuais de ambos os sexos se unissem legalmente. Seu marido, William, também realiza uniões civis.

Roddy e William descrevem a si mesmos como "loucamente, alucinadamente apaixonados", o que talvez seja um exagero, mas o fato é que se amam muito. Casados há trinta e três anos, eles consideram o seu papel uma forma de ajudar outros casais a ficarem juntos e demonstrar seu amor. "A união de casais que se amam fortalece a sociedade. Diferenças não são empecilhos, elas podem gerar força. É assim que encaramos a situação em nosso casamento e em nosso trabalho", explicou Roddy.

Quando está realizando uma cerimônia de união civil, Roddy diz aos participantes: "O paraíso é feito da capacidade de compartilhar da alegria do outro." Ela afirma que se tornou uma atuante defensora da união civil de homossexuais em parte por causa das experiências que viveu durante os quinze anos em que atuou como ministra do campus da Universidade de Vermont. Ela trabalhava com "excelentes alunos, homossexuais de ambos os sexos, pessoas maravilhosas que possuíam enorme talento mas que, devido à sua opção sexual, enfrentaram um enorme preconceito. Os relacionamentos que surgem de todo esse sofrimento", disse Cleary, "são tão testados e aprimorados que acabam por fortalecer a estrutura da nossa sociedade".

Roddy Cleary considera seu próprio casamento e sua participação em outras uniões como a expressão fundamental da capacidade de "ver o bem nas pessoas. Enxergar o lado bom que faz parte de todos nós".

"Respondi à carta de um homem que não queria ver a filha unida a outra mulher. Algum tempo depois, ele me escreveu para dizer que a maneira como eu o fiz ver o valor das uniões de amor ajudou ele e a mulher a vencerem sua resistência, a entrarem em contato com a companheira da filha e descobrir o valor dessa pessoa e sua capacidade de estabelecer um relacionamento feliz com sua filha. 'Não deixa de ser difícil para nós dois aceitar essa situação, que ainda é tão rejeitada pela sociedade, mas vamos nos esforçar e contribuir para que tudo saia da melhor maneira possível', foi o que disse o pai da menina."

☺ ☺ ☺

Pessoas que vivem relacionamentos de longo prazo passaram um tempo cinco vezes maior falando das características positivas de seu parceiro do que das negativas e tenderam a atenuar a importância das características negativas.

Murray e Holmes, 1999

72

Vocês vão precisar de amigos do casal

Duas pessoas trazem para seu relacionamento muitos amigos do passado. Embora importantes, essas amizades nem sempre se ajustam bem ao contexto do relacionamento. Algumas vezes, a falta de interesses e de um passado comuns dificulta a comunicação, e pode haver crises de ciúme entre amigos e parceiros. Portanto, além dos seus amigos pessoais, você deve tentar formar um grupo de amigos do casal – outros casais com interesses em comum que possam interagir com você e seu parceiro. Esses amigos nos ajudam a sentir a importância do nosso relacionamento e constituem uma forma alegre e saudável de criar atividades que incluam o nosso parceiro.

☺ ☺ ☺

Antes de se casar, Chris costumava passar muito tempo com os amigos solteiros. "Quando contei que ia casar, eles acharam que eu estava maluco", disse ele. "Antes de estar namorando firme, eu saía muito com eles, porque não sabia se o relacionamento iria dar certo. Entretanto, quando ficamos noivos, eu preferia sair com ela e o relacionamento com aqueles amigos ficou ameaçado, porque minha noiva tornou-se a minha melhor amiga."

Sherry Welch, uma psicoterapeuta que estudou os problemas ligados a relacionamentos e amizades, afirmou que, em geral, a dinâmica das relações entre um casal que está namorando e seus amigos que não têm nenhum compromisso amoroso sofre grandes mudanças quando o namoro se torna sério. "Qualquer comprometimento significativo entre o casal tende a excluir os outros, pelo menos durante algum tempo", disse ela. "Depende da maturidade do casal e da maturidade dos amigos solteiros. Estes podem se sentir abandonados, dependendo do que o casal faz para incluí-los."

Chris disse que foi isso o que aconteceu com alguns de seus amigos. "Eu diria que meus melhores amigos estão mais com ciúmes do que chateados, estão aborrecidos por eu não aparecer mais com a mesma freqüência", explicou. "Eles ficam zangados quando prefiro ficar com a minha mulher. Acho que eles não compreendem que, quando você se casa com alguém, tem que investir para que essa pessoa se torne a sua melhor amiga. Mais tarde, quando nossa relação se solidificar, posso retomar os contatos com eles."

"Dois dos meus antigos amigos também casaram e, como sentimos muita afinidade com eles, ficamos amigos dos casais. É muito enriquecedora e prazerosa a relação, porque eles também valorizam sua própria privacidade, mas gostam de trocar experiências conosco. Infelizmente não se pode ter tudo e é preciso fazer escolhas quando o objetivo principal é garantir a felicidade no casamento."

☺ ☺ ☺

Entre as pessoas que mantinham um relacionamento, o nível de satisfação aumentava três pontos por casal com quem conviviam regularmente.

Cox, 2001

73

Não espere para começar a se movimentar na direção certa

Nós temos a tendência de perder inúmeras oportunidades de pensar sobre as coisas, de fazer mudanças, de melhorar. Com freqüência, continuamos seguindo o mesmo caminho, ainda que não estejamos felizes nele. É como se a nossa vida não passasse de uma seqüência de dias de aula, um após o outro, nos quais obedecemos ordens e fazemos o que imaginamos que esperam de nós. Sabemos que chegará o momento da formatura, quando imaginamos que faremos algo diferente, mas, até lá, seguimos em frente sem questionar. Não espere que um acontecimento excepcional venha arrancar você da rotina para, então, examinar suas atitudes. Trabalhe para tornar a sua vida pessoal tão satisfatória quanto possível.

☺ ☺ ☺

Ele era um importante e rico cirurgião que aparecia sempre na televisão em propagandas de sua clínica. Quando se encontrou com ele pela primeira vez, Colleen ficou muito impressionada. Ele a deixou maravilhada descrevendo férias na Europa, viagens para esquiar no Colorado, safáris na África. "Ele me pediu que largasse o emprego, disse que me amava e que me sustentaria. E nós apenas nos divertiríamos, viajaríamos e tudo seria maravilhoso." Quando ele propôs casamento, ela aceitou.

Mas Colleen logo percebeu que o marido estava se tornando cada vez mais controlador, insistindo para que ela abandonasse os planos de entrar na universidade e exigindo que carregasse constantemente um telefone celular, para que ele pudesse localizá-la sempre que quisesse. Em menos de um ano eles já estavam buscando aconselhamento para casais, tentando lidar com as crescentes desavenças. As brigas tornaram-se freqüentes. O romance, segundo Colleen, fora substituído por uma rotina cada vez mais sufocante.

Depois de algum tempo separados, os dois acabaram por reconciliar-se. A chegada de uma filha trouxe uma nova esperança para o casamento. Entretanto, a relação voltou ao que era antes e o marido começou a ameaçá-la de forma violenta.

Isso continuou por mais de um ano até que Colleen decidisse se separar. "Hoje eu me pergunto por que não fiz isso antes, por que me deixei desrespeitar tanto. Havia sempre uma esperança de que ele mudasse."

Colleen divorciou-se do médico e processou-o, com sucesso, por abusos físicos. "Estou mais forte agora do que jamais estive ao lado dele", concluiu.

☺ ☺ ☺

Os pesquisadores descobriram que mais de nove em cada dez pessoas envolvidas em relacionamentos física ou mentalmente abusivos culpavam-se por contribuir com a situação, e que esta culpa era um fator significativo na demora em tomar uma atitude no sentido de mudar ou dar fim ao relacionamento.

Hilfer, 1999

74

A música pode nos aproximar

Imagine uma situação em que dois parceiros estejam em vias de se irritar um com o outro. Talvez ambos tenham tido um dia difícil, talvez um tenha dito algo que foi mal interpretado. Eles ficam ali, sentados, o incômodo silêncio aumentando a tensão. Então, um deles coloca para tocar o CD favorito do casal. A música invade seus pensamentos, fazendo eles se lembrarem das alegrias que tiveram juntos. A música diminui a tensão e tem um efeito positivo sobre a emoção do casal, podendo ser uma importante e saudável forma de comunicação.

☺ ☺ ☺

"Uma das vantagens da velhice é a sabedoria que se adquire. Aqui está uma das coisas mais importantes que aprendi: você precisa dar e receber", afirmou Herbert, de noventa e três anos. "Esta é minha regra de ouro."

"E perdoar um ao outro", acrescentou Elsie, sua mulher, que tem noventa anos.

Os dois se conheceram ainda adolescentes, num baile. A atração foi imediata, mas o namoro durou mais de um ano. "Dançávamos muito", disse Elsie.

Os dois passaram quase toda a vida de casados lutando numa pequena propriedade do Missouri. Ambos concordam que era uma vida dura, mas feliz. Ela se lembra da campina sem árvores, das tempestades de areia e de nevascas tão fortes que eles precisavam de cordas para caminhar em segurança da casa até o celeiro. A família queimava estrume de vaca para usar como carvão. Durante muitos anos, a casa não tinha eletricidade. "Só podíamos gastar cinco centavos, uma única vez por ano, para comprar sorvete", comentou Elsie.

"Entretanto, eu sempre tive um piano", ela continua. "Ele tocava violino. E sabe de uma coisa? Nos momentos mais difíceis, eu começava a tocar, ele também, e nos transformávamos em adolescentes dançando num baile outra vez. Era a forma de não nos deixar abater. Nunca falhou."

☺ ☺ ☺

Em sessões de aconselhamento, a exposição de um casal a suas músicas favoritas aumentou os sentimentos de cooperação e de atenção em sete em cada dez pessoas.

Housker, 2001

75

Determine as suas necessidades

As pessoas começam um relacionamento com altas expectativas. Entretanto, para muitas delas as características que lhes fazem pensar que um relacionamento pode valer a pena não são as mesmas que irão satisfazer as suas necessidades e fazê-las felizes com o passar do tempo. Reflita sobre o que você realmente necessita num relacionamento e deixe que essa descoberta guie seus objetivos e decisões.

☺ ☺ ☺

"Eles disseram que era uma chance única na vida", lembrou-se John. "Era um passo importante, a oportunidade de dirigir a minha própria divisão, mas também significava uma mudança para um lugar a mil e quinhentos quilômetros de onde morávamos."

John recusou a promoção e permaneceu no mesmo posto que ocupava. "Fiquei lisonjeado, mas isso não fazia muito sentido naquele momento." Por quê? Porque sua mulher, Liz, estava envolvida nas batalhas de seu primeiro ano de residência médica.

Liz trabalha doze horas por dia num hospital e faz um plantão a cada quatro noites. O casal precisa se organizar para passar juntos algumas horas de seu tempo livre. "Se não ficarmos atentos, corremos o risco de passar semanas sem praticamente nos ver. Ou então, quando nos vemos, estamos tão exaustos que nem conseguimos conversar", disse Liz.

Quando, finalmente, ela pôde tirar uma semana de férias, os

dois viajaram para a África, para ficar longe das pressões do trabalho. "Foi ótimo constatar como temos gostos em comum e como nos sentimos felizes um com o outro. Mas foi preciso ter esse tempo para reafirmar isso", lembrou-se Liz.

Liz ficou comovida com a atitude do marido de adiar os planos de sua própria carreira. "É engraçado, pois o que primeiro me atraiu em John foi sua ambição e energia. Agora, o que acho mais emocionante é o fato de ele ter colocado tudo isso de lado. É uma verdadeira prova do que é mais importante para ele. John compreende o significado de nossa vida juntos e, quando terminar minha residência médica, vamos nos mudar para qualquer lugar que ele quiser."

☺ ☺ ☺

Os pesquisadores descobriram que as características que primeiro atraíram as pessoas para seus parceiros deixaram de ser relevantes para trinta e quatro por cento delas seis meses ou mais depois do início do namoro.

Felmlee, 2001

76

Mostre que você se importa, mesmo quando for difícil

Num mundo perfeito haveria poucos conflitos num relacionamento e seria fácil demonstrar todos os dias que nos preocupamos com o outro, porque assim seríamos felizes. No mundo real é mais provável que você passe por muitos desentendimentos e pontos de conflito nos seus relacionamentos e descubra como é difícil demonstrar o seu amor no meio de um conflito. Entretanto, é vital demonstrar o quanto nos importamos com nosso parceiro. Na verdade, é justamente no momento em que as dificuldades aparecem que é mais importante fazer com que ele saiba o quanto nos importamos com ele, o quanto o valorizamos. Mesmo quando discordar de seu parceiro, continue demonstrando que ele e a relação de vocês dois são realmente importantes para você.

☺ ☺ ☺

Durante as sessões de grupo sobre relacionamentos, o conselheiro Peter Dilliard explica que cada pessoa que estiver vivendo uma relação precisa investir tempo, energia e interesse em seu parceiro. "Se você não se dispuser a investir nas pessoas que fazem parte de sua vida, o amor não florescerá. Investir em alguém significa importar-se sempre com os seus sentimentos, compreender suas necessidades e continuar fazendo isso no meio de uma desavença sobre qualquer assunto."

"Esse investimento envolve desprendimento e sacrifícios", explica Dilliard aos participantes, "mas é altamente compensador, pois é o que mantém a felicidade num relacionamento. Sacrificar-se é fazer algo que lhe custa esforço, porque isso fará com que o outro se sinta feliz."

"Se no momento do conflito for difícil manifestar o seu amor, diga ao outro: 'Estamos passando por um momento difícil, mas quero que você saiba que desejo muito resolver essa situação e me aproximar de você, porque é isso que me faz feliz.' É claro que essa atitude pressupõe que haja amor entre o casal. Mas tenham certeza", Dilliard acrescenta, "que o amor cresce à medida que investimos no outro e o fazemos sentir-se especial."

Dilliard provoca alguma surpresa quando declara que, "se for administrada de maneira adequada, uma crise pode unir mais o casal. Porque a crise evidencia dificuldades que poderiam estar minando o relacionamento. Se os dois estiverem empenhados em avançar no amor em vez de determinar quem é o culpado, a busca de uma solução para o problema pode ser uma forma de demonstrar comprometimento, amor e compreensão. A crise passa então a revelar a força do relacionamento e não a fraqueza".

☺ ☺ ☺

Quando um casal passa por uma crise, as chances de os parceiros saírem mais próximos e enriquecidos no relacionamento são cinqüenta e cinco por cento maiores se, durante as desavenças, um puder perceber que o outro se preocupa e se importa com seus sentimentos.

Ebesu Hubbard, 2001

77

Tome decisões por motivos positivos

Quando tomam decisões, muitas pessoas procuram sobretudo evitar resultados negativos, em vez de tomá-las procurando os resultados positivos de suas escolhas. Em relacionamentos, isso significa que a nossa tendência é perguntar-nos o que iremos perder se tomarmos determinada decisão, e não o que iremos ganhar. Esse hábito pode levar a situações continuamente insatisfatórias, porque é ditado pelo medo de que tudo possa piorar. Tome suas decisões visando alcançar aquilo que você deseja e não tentando evitar o que não deseja.

☺ ☺ ☺

Ali se sentia radiante. Encontrara um sujeito maravilhoso e estava tão convencida de que se tratava do homem ideal que se mudou para a casa dele depois de dois meses de namoro.

Em poucos meses estavam noivos e, mais tarde, casaram-se num cartório. "Naquele momento tínhamos certeza de que iríamos ficar juntos", disse Ali. "No início foi muito bom, mas aos poucos fui percebendo que não era fácil dividir o meu espaço com uma outra pessoa – comecei a sentir como se fôssemos dois cachorros numa jaula." Os hábitos, os ritmos, os temperamentos eram muito diferentes. "Era algo que acabaríamos descobrindo, mas o fato de termos ido viver juntos tão depressa não ajudou muito. O relacionamento não estava suficientemente solidificado para agüentar os conflitos gerados pelas diferenças. Mergulhamos de cabeça sem refletir melhor sobre as implicações de um convívio tão íntimo."

Embora ambos estivessem infelizes, nenhum dos dois buscou uma mudança. "Acabáramos de comprar uma casa, o que tornava mais difícil a separação. E eu não estava disposta a confessar para amigos e familiares que tinha cometido um grande erro. Principalmente porque muitos deles tinham sido contra desde o início."

O casal ainda continuou a viver junto seis meses depois de Ali se dar conta de que o relacionamento estava acabado. Até que ela resolveu colocar um ponto final na situação. Ao refletir sobre a experiência, Ali afirmou: "Aprendi a não me apressar tanto – agora sei que não é possível manter um relacionamento por mera conveniência."

☺ ☺ ☺

Um estudo realizado com casais que passaram por experiências de traição ou graves decepções revelou que aqueles que continuaram juntos por motivos negativos (medo de ficar só, dependência financeira) mostravam-se extremamente insatisfeitos com a relação (sessenta e um por cento) ou separaram-se (vinte e quatro por cento) seis meses depois.

Roloff, Soule e Carey, 2001

78

A base de um relacionamento é o apoio

Se você acredita que tem o apoio do seu parceiro – se ele apóia quem você é, o que você é, seus desejos e suas necessidades –, seu relacionamento está construído sobre bases sólidas. Qualquer desavença que possa surgir é, em sua essência, menos importante, e as dificuldades na relação podem ser vencidas se houver entre vocês uma atitude de apoio mútuo. Apóie e exija apoio em seu relacionamento e todo o resto será mais fácil e melhor.

☺ ☺ ☺

Eles formavam uma família típica: marido, mulher e dois filhos pequenos. Como desejavam investir em suas carreiras, fizeram um acordo no início do casamento: Denise ajudaria Jerry a concluir a universidade e, depois, ele a ajudaria a conseguir o mesmo.

Tudo ia bem até que Denise começou a estudar. Jerry, que já estava formado, esquivou-se das tarefas da casa e dos cuidados com as crianças. Quando Denise conversou com o marido sobre esse comportamento, ele afirmou que não tinha avaliado que os estudos dela trariam tantas dificuldades e despesas e que ele se sentiria negligenciado.

Denise terminou os estudos e, para piorar, começou a ganhar melhor do que Jerry. "Ele achava que o equilíbrio de poder no casamento estava mudando e sentia-se desvalorizado porque meu salário era maior" – disse Denise.

O psicólogo Warren Reed tem visto esse problema com uma freqüência cada vez maior. "Raramente as carreiras progridem no mesmo passo", explicou ele. "Em geral, a carreira de um dos parceiros está decolando, enquanto a do outro está temporariamente estagnada. Trabalhar até tarde e não ter tempo para a família acaba criando tensão e ressentimento. Se um casal não planeja como pretende lidar com isso, acaba enfrentando problemas no relacionamento."

"Muitos homens admitem que, embora estivessem empenhados em aceitar uma posição de igualdade, acharam difícil manter essa postura, principalmente quando achavam que suas esposas não estavam lhes dando atenção", explicou. "Muitos demonstram sua insatisfação quando sentem que perderam o sentimento de controle que, para eles, define a sua masculinidade."

"Há casos em que a mulher tenta compensar a insatisfação do marido, desdobrando-se em casa e no trabalho. Mas, em vez de ficar grato, ele diz que 'é nisso que dá esse complexo de mulher-maravilha: trabalhar fora e ainda cuidar da casa'. É um beco sem saída, pois ele se ressente por achar que ela é melhor do que ele."

Reed lembra aos casais que "ambos os parceiros precisam enxergar o valor do apoio que recebem do outro e sentir que a ligação entre eles é mais importante do que essas comparações. É claro que isso pressupõe nos dois um nível saudável de auto-estima. Se um deles tem um sentimento agudo de inferioridade, o conflito poderá atingir graves proporções".

☺ ☺ ☺

Os pesquisadores que estudaram casais em situações estressantes descobriram que, quando ambos sentiam o apoio um do outro, experimentavam menos desânimo. Nos casais que se apoiavam, os efeitos do estresse na pressão arterial e nos batimentos cardíacos revelaram-se trinta e oito por cento menores.

Harris, 2001

79

As partes de sua vida devem se complementar

Seu trabalho e seu relacionamento são duas forças que se combinam para formar sua vida. Não procure dois ideais que nunca possam combinar, mas duas situações compatíveis, que farão a sua vida dar certo.

☺ ☺ ☺

Jane é treinadora, não de um time esportivo, mas de vida. Ela ajuda pessoas por todo o país a alcançarem seus objetivos em qualquer área, seja a utilização eficiente do tempo, o planejamento de suas carreiras ou até mesmo a satisfação na vida. Por ser muito competente, ela tem uma enorme clientela e está construindo uma carreira de sucesso.

Jane mantém encontros semanais com seus clientes, algumas vezes pessoalmente, outras por telefone ou via Internet, para debater com eles como estão buscando satisfação e equilíbrio em áreas como carreira, família, saúde, passatempos. Jane afirma que o treinador certo "talvez não ajude você a encontrar algo além daquilo que iria acabar encontrando sozinho, mas pode encurtar o tempo de procura e aprendizagem de quarenta para dois anos". Segundo Jane, isso é feito de duas maneiras: "ajudando as pessoas a concentrarem-se em seus objetivos principais" e "fazendo-as projetar o futuro e o que ele tem para oferecer".

Apesar de sentir imenso prazer com seu trabalho, num determinado momento Jane percebeu que estava faltando algo. "Dediquei todo o meu tempo a orientar as pessoas a alcançarem sua própria realização e, um dia, acordei e descobri que não estava caminhando em direção à minha. O desequilíbrio entre a vida profissional e a pessoal acentuava-se perigosamente. Eu então me fiz duas perguntas: 'O que é que eu quero mesmo da vida' e 'Que futuro terei quando não tiver mais condições de trabalhar?'" Jane concluiu que o que queria mesmo era ser feliz, o que incluía sua vida afetiva que estava abandonada. E assustou-se com a perspectiva de uma velhice solitária. Utilizando seus conhecimentos, ela avaliou a própria situação e decidiu buscar um melhor equilíbrio entre o trabalho e a vida pessoal.

"Ainda penso em meus clientes e faço o melhor que posso por eles, mas coloquei um limite bem claro na quantidade de clientes que aceito e no tempo que dedico a eles. Ajudo as pessoas a correrem atrás de seus sonhos, mas, para continuar a fazer isso, preciso correr atrás dos meus também."

☺ ☺ ☺

Mais de sete em cada dez profissionais relataram que, em alguma fase de suas carreiras, seu trabalho foi um obstáculo para conseguirem uma vida pessoal satisfatória.

Gilbert e Walker, 2001

80

Domine seus medos e seja você mesmo

As interações sociais, seja uma conversa com amigos, conhecer alguém numa festa, ou estar com um companheiro, exigem que você revele um pouco de si mesmo. Muitas pessoas sentem-se nervosas nesse processo por medo de que o que dizem ou fazem não seja bom o bastante e se transforme em motivo de rejeição. Elas usam três maneiras para vencer esse medo: agem sempre de acordo com o que acreditam ser a expectativa dos outros, passam a acreditar cegamente que tudo o que disserem ou fizerem terá grande aceitação, ou simplesmente são o que são sem se importar em ganhar a aprovação constante dos outros. Opte pela terceira alternativa e, sobretudo, goste de si mesmo. Afinal, as pessoas que reagem de maneira positiva ao que você realmente é são aquelas cuja companhia você deve buscar.

☺ ☺ ☺

"Os feriados de Natal e fim de ano são momentos muito complicados, que tanto podem trazer alegria como um grande sofrimento. Há toda uma pressão cultural para que sejam datas cercadas de euforia e manifestações de afeto. Você certamente já passou pela experiência de se sentir obrigado a fingir um sentimento inexistente, a dar presentes a pessoas com quem não tem uma ligação especial, a ser quem você não é para corresponder às expectativas alheias", explica a Professora Susan Brown.

"São festas em que as pessoas que não estão envolvidas num relacionamento amoroso se sentem discriminadas e buscam a qualquer custo um parceiro. A qualquer custo significa que, em vez de se revelarem em seu melhor aspecto, sendo fiéis a si mesmas, correm o risco de representarem um papel falso, destinado a seduzir quem está pela frente. É inevitável que estabeleçam relacionamentos destinados ao fracasso." Entretanto, segundo a Professora Brown, "ao agir assim as pessoas só atrapalham suas chances de começarem um relacionamento ou estragam os que já mantêm".

"Inúmeros relacionamentos sofrem nessa época porque as pessoas esperam demais, temem não conseguir e acabam ficando sem nada. Os feriados de Natal e Ano-Novo são os campeões de problemas."

Susan Brown acrescenta ainda que "os sentimentos de medo e dúvida são naturais, mas não podemos agir movidos por eles. Permita-se sentir desconforto, não atingir a perfeição, não ter feriados maravilhosos. Invista para ser o melhor parceiro ou parceira possível sendo fiel ao que você é e não agindo de acordo com o que você imagina ser a expectativa do outro. Dê-se o direito de assumir-se como um ser humano. Você verá a paz que essa atitude trará e terá a chance de receber amor pelo que é, e não por uma representação falsa e exaustiva".

☺ ☺ ☺

O medo das interações sociais – conhecer novas pessoas, falar diante de um grupo – aflige mais de nove em cada dez indivíduos. Os pesquisadores descobriram que, na maioria das pessoas, esses temores podem ser reduzidos se houver um trabalho de conscientização antes de qualquer encontro ou evento: relaxe, respire fundo várias vezes e seja fiel ao que é.

Honeycutt, 1999

81

Temos mais semelhanças do que diferenças

Quando pensamos nas pessoas, costumamos nos concentrar em suas diferenças. Enxergamos diferentes grupos, diferentes religiões, diferentes etnias. Imaginamos que esses grupos agem de maneira completamente distinta da nossa. Mas os sentimentos básicos que nos movem, as lutas e as esperanças para construir um relacionamento feliz são os mesmos de incontáveis outras pessoas. Não permita que diferenças superficiais consigam impedir você de perceber as semelhanças interiores.

☺ ☺ ☺

Bev e Sil enfrentam desafios que poderiam sufocar qualquer um. Sendo um casal homossexual, elas não podem casar-se legalmente. Sem o casamento, Bev, que é cidadã americana, e Sil, que nasceu na Inglaterra, não podem obter a documentação que o governo americano exige para conceder cidadania aos cônjuges estrangeiros de seus cidadãos.

"Não sei quando verei minha amada outra vez, pois nosso sentimento e o compromisso que temos uma com a outra não são reconhecidos e nem respeitados pelas leis dos Estados Unidos", disse Bev.

"Como todos sabem, não precisaria ser assim. Em geral, os governos permitem e até estimulam a formação de casais de diferentes nacionalidades, facilitando o processo de imigração nesses casos. Não é exagero dizer que nossos governos estão forçando a nossa separação." Bev e Sil costumam fazer longas visitas uma à outra, mas não podem ficar juntas legalmente por mais de seis meses nos Estados Unidos.

"Com freqüência, leio que a maioria do povo americano é contra o casamento entre pessoas do mesmo gênero. Imagino que muitos deles nunca tenham parado para pensar no impacto de extrema crueldade que essa discriminação representa em nossas vidas", disse Bev. "Quando vejo as pessoas usarem uma espantosa estatística para afirmar que não passamos de mais um número sem importância, lembro-me de que as leis que impediam casamentos inter-raciais foram consideradas inconstitucionais pela Suprema Corte dos Estados Unidos há não mais de trinta anos. Tento imaginar como deve ter sido difícil para esses casais verem seu amor ser considerado ilegal, sua dignidade humana ser menosprezada e suas vidas serem tão prejudicadas por esse sistema opressivo."

"A verdade, a ironia disso tudo, é que não somos diferentes de outros casais. Amamos, honramos e respeitamos uma à outra, como qualquer outro casal. Discutimos e ficamos irritadas, como qualquer outro casal. E não desejamos nada mais do que as mesmas chances que qualquer outro casal tem de enfrentar os desafios da vida e de um relacionamento."

☺ ☺ ☺

Todos os grupos étnicos dos Estados Unidos apresentaram respostas similares quanto à visão que têm de seus relacionamentos, os medos e sentimentos neles envolvidos e sua concepção do relacionamento ideal.

LeSure-Lester, 2001

82

Não deixe o passado atrapalhar o presente

Todos nós temos curiosidade sobre o passado de nossos parceiros. Queremos saber de seus relacionamentos anteriores, principalmente os mais sérios. Entretanto, a excessiva curiosidade sobre esse assunto pode ser perigosa. Ela alimenta preocupações, comparações e, basicamente, conflitos. Você não está competindo com antigos parceiros – e eles só farão parte de seu relacionamento se os seus ciúmes e temores permitirem. Nada que você faça ou diga poderá mudar a história de seu parceiro. Mas, se você usufruir o que está vivendo no presente e não ficar insistindo no passado, poderá revigorar o futuro de seu relacionamento.

☺ ☺ ☺

Algumas vezes, o momento certo demora meio século para chegar.

Veta e Jess eram namorados no início dos anos quarenta. Enquanto a Europa estava em guerra, o casal descobria o amor em sua terra natal. Jess estava apenas um ano à frente de Veta na escola que freqüentavam. Já eram bons amigos antes que a atração se aprofundasse.

Ao completar dezoito anos, Jess foi convocado. "Eu disse a Veta que não gostaria que ela ficasse presa a mim", explicou Jess. Ele queria que a namorada tivesse a liberdade de procurar outras pessoas durante a sua ausência. Três anos depois, Jess recebeu uma dispensa médica, voltou para casa e encontrou Veta casada. "Fiquei imensamente triste", disse ele.

Mais tarde, Jess também se casou, e permaneceu casado e feliz até a morte da esposa, quarenta e oito anos depois. Veta também teve um casamento feliz, que durou quarenta e sete anos, quando o marido faleceu.

Durante todos esses anos, Jess e Veta receberam notícias um do outro através de amigos em comum. "Eu sempre tinha vontade de saber sobre Veta", explicou Jess.

Eles também guardaram fotografias e cartas de amor. Seus cônjuges sabiam do relacionamento que ambos tiveram no passado, mas não encontravam motivos para sentir ciúmes. "O fato de nos lembrarmos com saudade do primeiro namoro não significava que tivéssemos menos amor por nossos parceiros, nem que lamentássemos a perda no passado. Significava apenas que tínhamos vivido uma experiência especial e feliz que guardávamos no coração", afirmou Jess. "Nós dois amamos e nos casamos com ótimas pessoas", acrescenta Veta.

Jess e Veta ficaram viúvos no intervalo de um ano e sofreram muito com a perda de seus parceiros. Vários meses mais tarde, os dois se reencontraram, retomaram a amizade e, tempos depois, o antigo romance. "Pensei que ia desmaiar", disse Veta, recordando o primeiro beijo do casal depois de cinco décadas.

Quando se casaram, cinqüenta anos depois do primeiro namoro, não havia qualquer arrependimento pelo caminho sinuoso que se viram obrigados a percorrer. "Tivemos vidas maravilhosas separadamente e, agora, vamos ter uma vida maravilhosa juntos."

☺ ☺ ☺

Mais de duas em cada cinco pessoas relataram que o ciúme de um relacionamento anterior era uma fonte de conflito em seu relacionamento atual.

Knox e Zusman, 2001

83

Baseie suas expectativas na realidade

Muitas das imagens que fazemos dos relacionamentos vêm da mídia. O poder dessas imagens está no fato de que nós as vemos a todo instante, mas não refletimos sobre o seu significado. Assistimos a um programa na televisão, ou vamos ao cinema, e passamos pouco tempo pensando na maneira como as pessoas estão ali representadas, nem questionamos os estereótipos dos homens e mulheres que vimos. Questione essas informações irreais antes que elas se tornem a base de sua visão do mundo.

☺ ☺ ☺

"Quem disse que o amor conquista tudo não tem assistido à televisão ultimamente", declarou o sociólogo Richard Grier. "Houve um tempo em que a TV estava repleta de relacionamentos ternos e duradouros, mas nos programas de hoje os compromissos são efêmeros e os casamentos felizes são raros."

Um estudo com pessoas entre vinte e trinta anos de idade revelou que, apesar de buscarem alguém com quem valesse a pena se casar, muitas delas achavam que continuariam solteiras por um longo tempo. "Isso demonstra uma visão pouco realista do que o casamento realmente é", comentou Grier. "Os padrões de exigência se tornaram tão altos que ficou fácil cair fora."

De fato, Grier explicou que fugir dos relacionamentos, não fazer nem mesmo uma tentativa, é a mensagem de amor básica de muitos programas de televisão.

Ele chama a atenção para a representação típica que a televisão apresenta do homem bem-sucedido e dos casais atualmente. "Quando você olha ao seu redor, é realmente difícil encontrar um modelo a seguir", disse Grier. "A maioria dos personagens trata os relacionamentos como se fossem descartáveis. Os poucos casais que mantêm um relacionamento de longo prazo não parecem dedicar um grande amor um ao outro."

Grier acrescenta: "A visão geral que tenho de quase todos os assuntos ligados a relacionamentos é de algo bastante complicado. Na televisão, os diálogos são baseados em frases curtas e sem profundidade, e esse modelo de comunicação está em total desacordo com a vida do ser humano."

☺ ☺ ☺

As pessoas que tinham o hábito de assistir à televisão durante muitas horas apresentaram chances três vezes maiores de aceitar estereótipos sobre homens e mulheres, e foram mais rápidas em fazer suposições sobre os comportamentos e sentimentos das pessoas do que aquelas que assistiam durante menos tempo à televisão.

Ward, 2002

84

Nunca é tarde para se encontrar o amor

Muitas pessoas desistem dos relacionamentos porque acreditam que seu tempo já passou. A verdade é que a necessidade de companhia não desaparece com o tempo. Muito menos a capacidade de encontrar alegria numa relação. Jamais desista, pois nunca será tarde demais para amar.

☺ ☺ ☺

A vida romântica de Shirley foi muito frustrante. Casou-se sem grande paixão e seu casamento foi uma enorme batalha devido a uma terrível tragédia.

Logo após a união, seu marido sofreu um acidente, fazendo com que durante três décadas ela atuasse como enfermeira em horário integral. Ele era um bom homem, mas o relacionamento nunca foi satisfatório para Shirley. Aos sessenta anos, ela era uma viúva desejosa de um novo companheiro, na esperança de descobrir, pelo menos dessa vez, a recompensa do amor.

Sem ter medo dos muitos anos passados desde a última vez em que saíra com um namorado, Shirley passou a freqüentar lugares onde poderia conhecer novas pessoas. Não tinha qualquer constrangimento em afirmar seu desejo e investir para realizá-lo. Vestia-se bem, enfeitava-se e se dirigia às pessoas com grande espontaneidade.

“Mas eu não queria qualquer companheiro. Acho que na segunda vez a gente deve ser mais exigente”, disse ela.

Jeff ficara viúvo há pouco tempo. Os amigos o arrastaram até o rinque de patinação da cidade, onde a noite seria dedicada aos solteiros e viúvos. Ele logo chamou a atenção de Shirley. "Eu precisava descobrir quem era aquele homem", contou ela. "Passamos um pelo outro, dissemos 'oi' e nos apresentamos."

Ao final da noite, ela ousou um pouco mais. Disse que estava feliz por tê-lo conhecido e que esperava vê-lo na próxima festa. Este foi o sinal – um sorriso cativante que o fez estar presente a todas as reuniões seguintes.

Hoje, eles estão comemorando o quinto aniversário da união. Costumam viajar, sair para nadar, dançar e, naturalmente, patinar. "Meu querido marido prepara o café da manhã todos os dias e tem as mais atenciosas atitudes, como trazer flores com muita freqüência", disse Shirley. "Amar e ser amada é a maior dádiva da vida. E pode acontecer em qualquer idade."

☺ ☺ ☺

Estudos demonstram que as pessoas esperam que sua vida amorosa atinja o seu ápice entre os vinte e quarenta anos de idade, mas as pessoas de mais de sessenta têm maiores chances de demonstrar satisfação no relacionamento do que as de vinte e poucos anos.

Koehne, 2000

85

A auto-estima é a base de tudo

Que informação você tentaria obter para descobrir se uma pessoa se sente querida e amada? Perguntaria sobre seus relacionamentos? Perguntaria sobre seus amigos? Sobre a vida familiar? Embora todos esses indicadores sejam importantes e contribuam para a felicidade na vida, o maior sinal de que alguém se sente amado, surpreendentemente, não depende do relacionamento com outras pessoas. Quando você quiser saber se uma pessoa se sente querida, observe sua auto-estima. Ela é um indicador mais importante do que os relacionamentos amorosos ou o número de amigos íntimos. Aqueles que não gostam de si mesmos não se sentem amados ou queridos, mesmo que tenham um relacionamento saudável e muitos amigos que os apóiem.

☺ ☺ ☺

O psicólogo Martin Pugh ensina a auto-aceitação em sessões de aconselhamento e grupos de estudo. Ele afirma que sem auto-estima não podemos viver.

Pugh contou a história de um paciente cuja vida era bastante passiva. "Ele entrou no meu consultório de olhos baixos, ombros curvados, parecendo pedir desculpas por existir. Tudo o que dizia transmitia insegurança e inferioridade: 'Tudo bem se eu me sentar aqui?' 'Espero não estar fazendo o senhor perder tempo com isso.' 'Não sou muito bom nessas coisas.'"

À medida que foi se aprofundando na história do paciente, Pugh ouviu relatos sobre uma série de situações infelizes, sonhos não realizados, objetivos abandonados e uma vida diária de preocupações, conflitos e intermináveis críticas.

"Do que eu preciso?", perguntou o paciente. "Medicação? Um grupo de apoio?"

"De descobrir a pessoa única que você é e ter a consciência dos seus direitos", respondeu Pugh. "É disso que você precisa. Precisa descobrir por que não gosta de si mesmo e não se valoriza, e eu vou ajudar você nesse processo."

Segundo Pugh, "quando você pesquisa com uma pessoa as razões de sua baixa auto-estima, acaba sempre descobrindo alguma coisa. Ela está invariavelmente ali, encoberta. Embora a força interior esteja ao alcance de cada um de nós, muitas pessoas nunca a trazem à superfície, porque ela está abafada por vivências muito antigas. Algumas pessoas não acreditam que possuem essa vitalidade, porque a imagem que fazem de si mesmas é de indivíduos passivos ou fracos".

"Em minha experiência", prosseguiu, "o que impede que as pessoas utilizem o seu poder pessoal é a falta de amor-próprio, de auto-aceitação e as feridas psicológicas. Como acontece na maioria dos grandes desafios da vida, a resposta é muito simples: ame a si mesmo. Colocá-la em prática, porém, requer um trabalho persistente, com a decisão sincera de dizer a verdade, empenhar-se para viver as próprias crenças, arriscar-se a perseguir os próprios sonhos e achar-se no direito de expressar o seu desejo."

☺ ☺ ☺

Os indivíduos com baixa auto-estima avaliaram de maneira negativa a imagem que os outros tinham deles, independentemente da força de seus relacionamentos ou do número de amigos que possuíam.

Murray, Holmes e Griffin, 2000

86

Disponha-se a evoluir

Poucas situações são mais frustrantes do que perceber que estamos revivendo um problema com o qual já lidamos no passado. Quando o mesmo conflito teima em reaparecer num relacionamento, ambos os parceiros sentem-se frustrados e presos aos desentendimentos. Portanto, para que se mantenha um relacionamento, é necessário que as duas partes estejam dispostas a evoluir. Isso não significa abrir mão das suas características fundamentais, mas ser tolerante, flexível, capaz de ouvir e acolher o outro. Se você conseguir se colocar no lugar de seu parceiro e aprender através dessa experiência, certamente irá evoluir de maneira que conduz a um relacionamento cada vez melhor.

☺ ☺ ☺

Richard Andersen é um homem com uma missão. Seu trabalho é ajudar as pessoas a identificarem seus valores essenciais para, então, examinar como uma mudança – de atitude, de emprego, de relacionamento amoroso – pode lhes trazer uma alegria maior.

Segundo Andersen, muitas pessoas resistem às mudanças, mesmo quando a vida que levam é insustentável. "Já passei por isso. Eu me aferrava à minha maneira de ser, achando que era sempre minha namorada e meus amigos que tinham de mudar de atitude, e com isso não conseguia manter um relacionamento satisfatório. Hoje percebo como era arrogante e estúpido, pois estava construindo uma vida infeliz e solitária."

Mas abrir mão de sua forma de ser não foi um processo fácil, porque Andersen teve que lutar contra um orgulho arraigado que o fazia achar que ceder era submeter-se e demonstrar fraqueza. Foi preciso que se apaixonasse por Linda, que, em vez de bater de frente com o namorado, foi lhe mostrando, com paciência, firmeza e carinho, que a grandeza e a força estavam em ceder e mudar, mantendo seus valores essenciais. O ganho na vida de Andersen foi tão expressivo que ele resolveu dedicar-se a ajudar as pessoas a descobrir o próprio desejo e serem capazes de promover as mudanças necessárias para atingi-lo.

"De certa forma é mais fácil continuar sendo o mesmo do que mudar. É preciso descobrir o quanto essa rigidez nos faz infelizes para dar início a um processo de transformação. Infelizmente há pessoas que não conseguem nunca abandonar sua inflexibilidade e seu destino é amargo e solitário."

☺ ☺ ☺

As pessoas que são rígidas em sua personalidade e modo de pensar – ou seja, indivíduos altamente resistentes a mudanças – têm chances quarenta e dois por cento maiores de apresentar um alto nível de conflito em seus relacionamentos.

Elridge, 2001

87

Conecte-se e tome consciência da sua importância no mundo

Todos nós temos algumas necessidades fundamentais que precisam ser satisfeitas. A primeira delas é sentir-nos conectados aos outros, sentir que não estamos sós e que fazemos parte de uma comunidade. Em seguida, precisamos saber que somos capazes de alcançar importantes objetivos e oferecer alguma contribuição à vida daqueles que nos rodeiam. Finalmente é necessário ter consciência da nossa importância no mundo, que desempenhamos um papel no esquema maior da vida. Cada uma dessas crenças é fundamental para sermos capazes de ter e manter um relacionamento.

☺ ☺ ☺

No fundo, Rita sabia, mas não era agradável ouvir as pessoas dizerem como ela era interessante, inteligente, simpática, mas longe de ser bonita. As pessoas não falavam dessa maneira, mas quando ela, para provocar, afirmava "porque eu não sou bonita", havia um silêncio de aquiescência, logo seguido de "mas é uma moça muito interessante, simpática e inteligente". Rita descartava os elogios e apegava-se à restrição. Também, pudera, vivia num grupo social em que a beleza física parecia ser o valor predominante.

Rita se tornou uma mulher interessante, simpática e inteligente, compensando a falta de beleza física com o cultivo desses atributos. Quem a via pela primeira vez talvez não lhe concedesse um segundo olhar, mas aqueles que conviviam com ela se encantavam com a sua vivacidade, seu senso de humor, sua extrema capacidade de ouvir e acolher as necessidades dos outros, de multiplicar gestos delicados de afeto e solidariedade.

Os anos passaram e é Rita quem nos fala: "Durante toda a minha adolescência, jamais ouvi alguém dizer: 'Como você é bonita!' Na época isso representou um certo sofrimento, mas hoje percebo que, de alguma forma, tive sorte em não ficar aprisionada no que pode ser a escravidão da forma física. Investi o quanto pude na minha aparência, mas desenvolvi outras qualidades que me trouxeram um grupo de amigos verdadeiros e permitiram que eu estabelecesse um relacionamento sólido com meu marido."

O rosto de Rita se ilumina com um sorriso: "Quando ouço meu marido afirmar com ternura 'como você é linda', ou meus filhos exclamarem com entusiasmo 'mãe, como você está bonita', eu sei que estão sendo verdadeiros. Eles estão falando de uma coisa que vai além da beleza física e, nisso, com muita alegria, eu acredito."

☺ ☺ ☺

As pessoas que se viam como indivíduos conectados aos outros, capazes e desempenhando um papel importante na comunidade tinham chances duas vezes maiores de se sentirem positivas quanto aos seus relacionamentos e de sentirem que estavam dando a sua contribuição à sociedade. Menos da metade delas se preocupava com a própria imagem corporal.

Conway, 2000

88

Confiabilidade é muito importante

Há tantos conselhos complexos sobre relacionamentos que as pessoas acabam menosprezando o básico. Relacionamentos dependem de comunicação, todos nós sabemos disso. E comunicação significativa exige confiabilidade. Suas palavras precisam ter significado e coerência com suas ações. Expresse-se com clareza e faça o que diz que vai fazer. Sempre. Se agir assim, terá dado um enorme passo em direção a relacionamentos positivos.

☺ ☺ ☺

Quando o telefone tocou, Martin atendeu e ouviu o que diziam com ar grave e preocupado. Assim que desligou, Julia perguntou: "Era o médico, não é? Qual foi o resultado da biópsia?" Martin hesitou e, por um instante, teve a tentação de mentir, pelo menos de minimizar a crueza da informação. Mas não havia alternativa. Ele e Julia tinham um compromisso com a verdade, e essa confiança mútua sustentara a felicidade do casamento durante muitos anos. Ele pegou a mão da mulher entre as suas, olhou-a no fundo dos olhos e disse, com a serenidade que lhe foi possível: "Você está com um câncer no seio." Apressou-se em acrescentar: "Mas o médico disse que é um processo em início, que milhares de mulheres vivem este problema e o superam, que você precisará fazer uma cirurgia, mas ficará curada."

O corpo todo de Julia tremia e as lágrimas começaram a escorrer de seus olhos. Ela repetia "câncer" como se quisesse expressar o impacto e absorver a informação. Depois, com um sobressalto, exclamou: "Quer dizer que vou ficar mutilada." Havia na sua exclamação toda a angústia pela perda do símbolo de feminilidade e sexualidade que era o seio, a insegurança terrível que a perspectiva de mutilação lhe causava. Martin compreendeu o que se passava com sua mulher: "O médico também disse que, ainda que seja preciso retirar uma parte do seio, você pode reconstruí-lo e ele ficará perfeito."

Parou um instante, abraçou Julia com força e afirmou: "Quando nos casamos, prometemos um ao outro sermos fiéis na alegria e na tristeza, na saúde e na doença, amando-nos e respeitando-nos todos os dias de nossas vidas. Na época eu achei bonito o juramento, mas não me dava conta do que estava realmente prometendo. Hoje posso reafirmar meu compromisso." Afastou-se um pouco de Julia, ficou de frente para ela e disse com toda a convicção, colocando amor em cada uma de suas palavras: "Pode ter certeza de que eu estarei sempre ao seu lado, dando o apoio de que você precisar. Conte comigo, com a minha fidelidade, com o amor que tenho pela pessoa linda que você é." Voltou a abraçá-la e ela ficou encostada no peito do marido, consolada, reconfortada, pensando no que tinha sido a vida de casada, em como sempre pudera confiar nele. E soube que, mais uma vez, ela podia acreditar nele.

☺ ☺ ☺

Aqueles que consideram seus parceiros pessoas conscienciosas, que consistentemente fazem o que dizem que vão fazer, têm chances vinte e seis por cento maiores de avaliarem seus relacionamentos como saudáveis, apresentando um número quarenta e um por cento menor de conflitos. A confiabilidade foi considerada uma das qualidades mais desejadas em um parceiro.

Watson, Hubbard e Wiese, 2000

89

Não é preciso correr

A idade escolhida para se casar tem aumentado a cada década, nos últimos cem anos, assim como a idade na qual os casais decidem ter filhos. As pessoas estão retardando esses acontecimentos que alteram o curso da vida por muitas razões, inclusive por pressões financeiras e pelo desejo de obter e manter a independência. Não é preciso correr. Relacionamentos não são uma corrida e não há prêmios para quem chegar primeiro.

☺ ☺ ☺

Os pais de Janet se preocupavam com ela. Sua filha ia fazer trinta e dois anos – o que para a geração de seus pais já era uma solteirona – e não havia jeito de encontrar seu companheiro. Era uma moça bonita, interessante, inteligente, com uma brilhante carreira acadêmica, mas os namorados se sucediam e rapidamente ela perdia o interesse por eles. É bem verdade que nenhum parecia estar à altura dela, mas o desejo dos pais era tanto, que se forçavam a ver qualidades em alguns dos candidatos. As amigas de Janet se casaram e tiveram filhos enquanto ela fazia seu doutorado.

Um dia, Janet telefonou para os pais: "Conheci um homem interessante." A entonação era tal que os pais logo souberam que, desta vez, havia algo diferente. Tão diferente que dois anos depois Janet se casava com o homem que era de fato interessante, aos trinta e cinco anos teve o primeiro filho e aos trinta e oito o segundo.

É Janet quem fala: "É claro que eu desejava encontrar meu

companheiro. Houve momentos em que senti uma saudável inveja das minhas amigas casadas, embora percebesse nelas também uma inveja da minha vida livre, divertida, e do meu sucesso profissional. Mas acho que foi uma bênção ter podido esperar para encontrar uma pessoa com quem tenho condições de construir um casamento feliz. Somos ambos mais maduros e temos mais condições de estabelecer uma relação de cumplicidade e companheirismo que nos dá muita alegria."

☺ ☺ ☺

Casar-se com mais idade não tem nenhum efeito negativo sobre a satisfação com o relacionamento ou com a vida.

Juang e Silbereisen, 2001

90

As mulheres preferem o mesmo que os homens

Nós formamos conceitos rígidos sobre o que os homens desejam numa mulher e o que as mulheres desejam num homem. Muitas pessoas acreditam que esses conceitos são verdadeiros e tentam adaptar-se ao que eles transmitem a respeito dos desejos dos possíveis parceiros. Na realidade, os homens e as mulheres de hoje buscam coisas muito semelhantes. Os conceitos podem ter sido verdadeiros em algum momento, mas hoje é mais provável que você e seu parceiro em potencial estejam procurando as mesmas coisas.

☺ ☺ ☺

Quando os psicólogos querem saber o que homens e mulheres estão procurando num parceiro em potencial, recorrem a anúncios publicados em revistas e jornais para ler as descrições que as pessoas fazem de si mesmas e das pessoas que desejam encontrar.

O psicólogo Thomas Cash analisou milhares desses anúncios. "As pessoas se revelam de maneira realmente singular. Elas definem quem são de forma bem sucinta, talvez exageradamente otimista, e definem também a essência do que estão buscando – algumas vezes revelando grande profundidade, mas, com freqüência, indicando as qualidades mais superficiais."

Pesquisadores como o Professor Cash esperavam encontrar grandes diferenças entre o que homens e mulheres desejam. Mas seus estudos mais recentes revelaram que, assim como os homens, as mulheres também estão propensas a fazer exigências quanto à aparência, família e classe social quando descrevem a alma gêmea procurada. "Em outras palavras, à medida que ganharam poder econômico, as mulheres se tornaram capazes de ser tão frívolas quanto os homens, e de estarem à procura de um belo traseiro", disse Cash.

"O antigo evolucionário contrato entre homens e mulheres, no qual o homem garantia a segurança e as mulheres o bem-estar da família, está mudando. Homens e mulheres agora estão em busca das mesmas coisas."

☺ ☺ ☺

Estudos de longo prazo sobre a preferência de parceiros, conduzidos durante um período de mais de sessenta anos, revelaram que homens e mulheres costumavam ser muito diferentes em suas idéias sobre o companheiro ideal. Hoje, entretanto, os desejos de homens e mulheres são quase idênticos em sua essência.

Buss, Shackelford, Kirkpatrick e Larsen, 2001

91

Cuidado com a opinião dos outros

Em quase tudo o que fazemos, aprendemos a dar valor às opiniões de pessoas que respeitamos. Acreditamos que as melhores decisões são tomadas depois de consultas a múltiplas fontes. Por isso, quando estamos diante de uma decisão de grande importância, sobretudo sobre relacionamentos, costumamos buscar uma segunda opinião. Essa estratégia, porém, apresenta dois problemas. Em primeiro lugar, ninguém é capaz de avaliar com clareza e profundidade o que se passa em nosso íntimo e na nossa relação com o outro. Por isso correm o risco de dar-nos conselhos e opiniões refletidos em suas vivências, e não nas nossas. Quando se trata de decisões ligadas a relacionamentos, você pode conversar com as pessoas em quem confia, para ver mais claro, mas a decisão do que fazer tem que ser tomada por você.

☺ ☺ ☺

Glen Taylor é dono de um time de basquete e da maior gráfica de convites de casamento dos Estados Unidos. Ele mantém uma frenética agenda de trabalho dedicada à empresa, mas sempre nutriu uma paixão pela política. "Por isso mesmo, instigado por amigos e conhecidos, candidatei-me a governador. Na época fiquei em dúvida, porque sabia que teria que sacrificar minha família, mas a pressão externa foi tanta que acabei cedendo. Quando eu falava com os amigos sobre o temor de colocar meu casamento em risco, eles chegavam a zombar de mim. Até minha mulher disse que apoiaria a minha decisão de competir. Mas, no momento em que entrei na política, meu casamento passava por uma crise e precisava de dedicação exclusiva, pois estava ruindo. Só me dei conta disso quando era tarde demais para salvá-lo."

Embora consciente de que os conselhos recebidos acabaram por destruir sua vida familiar, Taylor culpa a si mesmo por tê-los escutado. "Como eu desejava muito ser governador, desconheci o desejo mais profundo de manter meu casamento. Se eu tivesse me consultado para saber o que era realmente prioritário, não teria tomado aquela decisão." Ele se refere ao descaso com o casamento como "o maior erro" de sua vida.

A experiência foi sofrida, mas serviu de lição. Dez anos depois, Taylor fala em ter como prioridade as pessoas e as relações, nunca o dinheiro ou o prestígio. Ele aprendeu a relativizar os conselhos de terceiros quando se trata do que é mais importante em sua vida. "Acho que precisamos ouvir sempre a nossa voz interior", afirmou. "Ela emana do que temos de essencial, da nossa sabedoria fundamental."

☺ ☺ ☺

Quatro em cada dez pessoas afirmam que tiveram que ignorar os conselhos recebidos por familiares e amigos para conseguirem manter seus relacionamentos. De fato, quando lhes pediram que avaliassem seus relacionamentos, as pessoas mostraram-se vinte e três por cento mais propensas a acreditar no futuro da relação, mesmo em momentos de crise, do que os outros membros de sua família. Mostraram-se também dezessete por cento mais fiéis a essa crença do que seus amigos. O otimismo quanto aos próprios relacionamentos acabou por revelar-se mais acertado, pois essas previsões demonstraram uma tendência maior de se concretizarem.

Boyer-Pennington, Pennington e Spink, 2001

92

Tenha fé, mas não se esqueça da realidade

O otimismo é um fator importante para se começar uma relação e para aumentar o nível de comprometimento. Entretanto, não podemos permitir que ele nos faça perder contato com a realidade, provocando grandes decepções. É bom acreditar que tudo vai dar certo, desde que essa convicção não nos impeça de tomar todas as providências necessárias para que as coisas aconteçam como imaginamos. Tenha fé nos outros e no futuro, mas acredite também no trabalho necessário para fazer do futuro aquilo que tanto deseja.

☺ ☺ ☺

"Existe uma coisa que gostaria que todas as noivas tivessem feito antes do casamento: um curso sobre habilidades conjugais", afirmou Diane Solle, fundadora de uma organização que aconselha casais. Solle preocupa-se com o fato de os casais só procurarem ajuda quando surgem problemas no relacionamento, quando deveriam evitar tais problemas procurando orientação antes do início da relação.

Qual é o maior problema observado por ela? "Expectativas irrealistas sobre o quanto tudo será maravilhoso e fácil. Por incrível que pareça, os casais ainda vivem a noção insana de encontrar o príncipe ou princesa encantados e acham que essa pessoa será alguém com quem, por uma razão mágica, nunca irão se desentender."

Segundo Diane Solle, uma das habilidades mais importantes para qualquer casal está em compreender que na estrada do relacionamento vão aparecer buracos e trechos bastante difíceis. "Precisamos mudar a visão que se tem do casamento. Em vez de vê-lo como um ponto de chegada – visão reforçada pelos finais felizes de filmes românticos –, encará-lo como ponto de partida, como uma oportunidade especial de construir o relacionamento e crescer." Solle é a favor de uma alta dose de realidade desde o primeiro dia. "Os votos proferidos no momento do casamento deveriam incluir: 'Sei que vamos discordar, discutir, argumentar, negociar para tomar decisões, e que esse processo poderá envolver crises e sofrimento. Mas prometo me empenhar ao máximo para manter nossa felicidade e resolver os problemas com o maior amor de que for capaz.'"

"O que mais digo às pessoas é para verem o tempo como um aliado. Estamos falando de relacionamentos para toda a vida. Não há nenhuma urgência e não é possível acertar tudo e viver tranqüilamente nos primeiros meses. Todo mundo precisa de tempo para adaptar-se a um novo papel. Os casais que se mantêm unidos aprendem pelo caminho que as diferenças e as crises são normais e até mesmo positivas", afirmou Solle.

☺ ☺ ☺

Estudos com pessoas que estavam em busca de relacionamentos e estudos com recém-casados revelaram que mais de nove em cada dez esperavam que seu relacionamento fosse extraordinariamente feliz no futuro.

Fowers, Lyons, Montel e Shaked, 2001

93

Preste atenção

Problemas importantes têm, com freqüência, soluções difíceis e complexas. O maior problema num relacionamento – a incapacidade de comunicação – tem uma solução simples: preste atenção. O primeiro passo para se compreender o ponto de vista do outro e dar uma resposta às suas necessidades é prestar atenção a elas.

☺ ☺ ☺

"Depois de vinte e um anos de casamento, Craig me deixou por uma mulher mais nova, uma assistente administrativa de seu escritório", contou Kelly, executiva de um banco e mãe de dois filhos já crescidos. "Ele disse que nosso casamento tinha caído numa rotina e que precisava fazer alguma coisa diferente."

Durante várias semanas, Kelly não conseguia comer. Todas as noites chorava até adormecer. Até que, um dia, o marido voltou para casa implorando perdão.

Esses acontecimentos deixaram Kelly em estado de choque. "Craig sempre foi tão calmo e paciente. Nós nunca brigávamos."

Ela suspeitou que algo poderia estar errado quando o marido começou a voltar para casa cada vez mais tarde. "Acho que ele está com excesso de trabalho", pensou Kelly na ocasião. Mas passou por cima do assunto e não se preocupou em perguntar ao marido como ele se sentia.

Naquele momento, Craig vivia uma profunda crise. "Minha vida estava ruim em todos os aspectos. Na empresa fiquei subordinado a um sujeito mais novo, arrogante e autoritário. Eu, que gostava muito do meu trabalho, comecei a detestá-lo." Em casa, ele também não se sentia valorizado. "Kelly estava ocupada com seu trabalho e com seus amigos. Eu não fazia parte de tudo aquilo. Quando eu não estava ao seu lado, ela reclamava, mas, se eu procurava participar, sentia-me completamente marginalizado. A insatisfação era tão grande que já estava virando depressão."

Até que a sensação de desânimo e prostração de Craig, no trabalho e em casa, acabou eclodindo. Ele se voltou para uma mulher mais nova que o fazia sentir-se valorizado e começou a achar que a única maneira de ser feliz no futuro seria romper totalmente com o passado.

Hoje, Kelly e Craig sabem que, se tivessem prestado mais atenção aos sentimentos um do outro e aos pontos desgastados do casamento, poderiam ter se compreendido melhor e se empenhado juntos para resolver os problemas.

Por enquanto, estão tentando salvar o relacionamento. "É claro que eu o amo e tenho consciência da minha responsabilidade no que aconteceu", disse Kelly. "Mas não consigo parar de pensar na outra mulher. Não posso simplesmente apagar toda a dor que senti."

☺ ☺ ☺

Os pesquisadores descobriram que não existem diferenças significativas entre homens e mulheres, nem entre casais que estão juntos há muito ou pouco tempo, quando se trata de prestar atenção ao estado emocional de seus parceiros. A diferença está no esforço consumido para sintonizar-se com os sentimentos dos parceiros, que é vinte e seis por cento maior em momentos de dificuldade do que em períodos mais rotineiros.

Ruef, 2001

94

Ser bom e gentil não desvaloriza você

Existe uma crença popular de que as pessoas boas e gentis são esquecidas, enquanto as outras são mais valorizadas. Essa idéia sugere que não devemos ser bons e gentis se quisermos encontrar um relacionamento. Na verdade, a bondade e a gentileza estão entre as qualidades mais valorizadas nos parceiros em potencial.

☺ ☺ ☺

Kim é assistente social e desejava muito encontrar seu parceiro. "Uma amiga me colocou em contato com um colega de trabalho de seu marido. Nós nos falamos por telefone e marcamos um encontro. Fiquei bastante ansiosa e hesitei bastante, porque nunca tinha saído com uma pessoa totalmente desconhecida e não sabia o que poderia acontecer."

Kim descreveu o primeiro encontro: "Falamos algumas vezes pelo telefone e a conversa foi agradável. Como eu, ele gostava muito de música e me convidou para um concerto de jazz. Quando desceu do carro para abrir a porta para mim, vi um homem que parecia abaixo da média no aspecto físico: beleza e altura. Naquele momento da minha vida, eu já aprendera que beleza física não garante a felicidade de ninguém, mas confesso que fiquei um pouco desapontada."

No correr da noite, porém, Kim foi descobrindo outras facetas do seu par. Greg mostrou-se um homem sensível, interessado em ouvir suas experiências no serviço social, revelando afinidade com seus pontos de vista e valores. Ficaram juntos até tarde, conversando e rindo. "No momento de despedir, ele não tentou me beijar ou coisa parecida. Disse apenas, com a maior simplicidade e gentileza, o quanto gostara de me conhecer e perguntou se podia ligar no dia seguinte. Respondi que sim, sem acreditar muito, pois já sofrera inúmeras vezes aquela espera angustiante na frente de um telefone que não tocava. Mas ele não só me ligou, marcando novo encontro, como me mandou flores durante o dia, agradecendo pela alegria que eu lhe dera."

Depois de três anos de casados, quando olha para trás e se lembra do medo que teve antes do encontro com Greg, Kim afirma: "Como foi bom que eu não me deixasse impressionar pelo aspecto físico de meu marido. A bondade e a gentileza fazem dele uma das pessoas mais bonitas que eu conheço."

☺ ☺ ☺

Entre as pessoas que estavam em busca de um relacionamento, o fato de o parceiro em potencial ser bom e gentil foi um fator significativo para mais de setenta e cinco por cento dos entrevistados.

Herold e Milhausen, 1999

95

Relacionamentos são como a arte moderna

Embora os bons relacionamentos tenham muitos pontos em comum, na maioria das vezes a nossa avaliação sobre a qualidade de uma relação é subjetiva. É um pouco o que acontece com um trabalho de arte moderna: cada um vê de um modo, de acordo com seu gosto e valores. Não dependa das idéias e pontos de vista dos outros para avaliar o que você tem e do que você precisa.

☺ ☺ ☺

Infeliz no primeiro casamento, aos vinte e cinco anos, e feliz no segundo, depois dos quarenta, a enfermeira Elaine diz que gostaria de ter sido mais bem orientada quando era jovem. "Eu encarava o casamento quase como a compra de uma casa ou carro. Escolhi meu marido porque ele era popular e cobiçado pelas moças. Foi uma terrível decepção verificar, no dia-a-dia, que essas qualidades não eram garantia de felicidade."

Ela diz que aprendeu muito com a experiência. "Vi que eu precisava descobrir o que queria para mim mesma, aquilo que me fazia feliz e que respondia às minhas necessidades e à minha maneira de ser."

☺ ☺ ☺

Estudos sobre casais felizes revelaram que, em mais de cinqüenta por cento deles, fatores como compatibilidade de personalidades e hábitos, que variam de um casamento para o outro, eram importantes para avaliar a satisfação conjugal.

Bachand e Caron, 2001

96

Não é fácil, mesmo quando parece

Todos nós conhecemos alguém que parece ter uma vida perfeita, o amor perfeito. Já vimos inúmeros filmes com histórias de amor invejáveis. Mas a verdade é que relacionamentos são trabalhosos para qualquer um. Não existem histórias de amor perfeitas, embora haja muitas histórias de dedicação mútua e de um enorme desejo de investir para vencer os tempos difíceis. Todas as pessoas atravessam dificuldades para manter seus relacionamentos.

☺ ☺ ☺

Quando Juan, Maria e seus três filhos mudaram-se para uma outra cidade, seus novos vizinhos imaginaram que a família perfeita acabara de chegar. Mas o casal sabia que seu casamento de dez anos andava bastante instável.

"Sob todos os aspectos, parecíamos um casal perfeito", explicou Maria. "Íamos à igreja. Tratávamos um ao outro com carinho em público e nos dedicávamos a nossos filhos. Mas a verdade era que Juan e eu estávamos lutando para manter uma imagem. Não nos sentíamos mais ligados. Passávamos quase todo o tempo discutindo e culpando um ao outro por qualquer coisa."

"Era como se o divórcio estivesse se aproximando a passos largos", disse ela. "No fundo do coração, eu sabia que a culpa não era somente dele. Eu também era responsável. Mas não conseguia me lembrar disso no meio de uma discussão."

Com as pressões no trabalho e em casa, o clima esquentou quando, por esquecimento, uma fatura do cartão de crédito deixou de ser paga. "Estávamos aos berros um com o outro, chorando, exasperados. E eu disse que não agüentava mais. Uma fatura não podia ser mais importante do que a vida", lembrou-se Maria.

Quando o casal buscou uma terapia conjugal, deixou todos os amigos absolutamente surpresos. No início, eles pensaram em ocultar o tratamento, mas concluíram que estariam prestando um serviço aos outros casais, mostrando que a imagem de perfeição era falsa e que o relacionamento feliz requer um investimento permanente. Maria e Juan têm se empenhado arduamente para adotar uma nova maneira de encarar um ao outro e de buscar harmonia. "Manter o nosso casamento numa trajetória positiva é uma tarefa difícil", admite Juan. "Mas é impressionante como fica mais fácil quando você vai percebendo a alegria do reencontro."

☺ ☺ ☺

Os pesquisadores descobriram que mais de nove em cada dez pessoas eram capazes de citar um casal que consideravam ideal e muitas delas sentiam-se desapontadas por não poderem alcançar o mesmo sucesso em seus próprios relacionamentos.

Taylor, 2001

97

Aceite a verdade do seu passado

O pedido é inevitável: "Fale-me de seus relacionamentos anteriores." É uma pergunta perigosa, porque pode levar a mágoas ou mentiras que não constituem uma boa base para um relacionamento feliz.

☺ ☺ ☺

Erin Rogers organiza um seminário para pessoas que sentem que estão tendo problemas para conseguir um relacionamento saudável. "O que você conta sobre o seu passado à pessoa com quem está começando um relacionamento?", ela pergunta aos participantes.

As respostas variam: podem ser verdadeiras, descrevendo em detalhes inúmeras e glamourosas relações capazes de causar ciúme e insegurança no novo parceiro, ou podem ser mentirosas, relatando sucessos que nunca ocorreram, mas que a pessoa acha que irão valorizá-la. Dificilmente alguém revela que teve um número reduzido de namoros que não foram adiante.

"O que eu digo a essas pessoas é que, antes de tudo, precisam ser verdadeiras se quiserem construir um relacionamento saudável e sólido, em que cada um confia no outro e o ama pelo que é, e não por seus sucessos. Afirmo também que o valor de uma pessoa não se mede pela quantidade de parceiros, mas pela qualidade do relacionamento estabelecido. É essa qualidade que vai garantir a possibilidade de harmonia no relacionamento que se inicia. Todos têm um passado e o importante é saber o que a pessoa aprendeu com as experiências anteriores."

"O requisito fundamental é você aceitar o seu passado. Se você não aceitá-lo, vai transmitir essa sensação ao outro e não pode esperar que alguém compreenda e apóie a sua história. Mas, preste atenção: não entre em detalhes que não servem para nada e apenas magoam, e recuse-se a ouvir detalhes dos antigos relacionamentos de seu parceiro, por mais que seja tentador conhecê-los. E espere que a relação se aprofunde para começar a falar do seu passado. Ele é um assunto íntimo seu e não é qualquer pessoa que merece ouvi-lo."

☺ ☺ ☺

Em estudos nos quais as pessoas deveriam avaliar seu interesse em namorar outras verificou-se a tendência de aumentar o número de antigos parceiros sexuais para fazê-las parecer mais desejáveis. Muitas temiam falar de seus insucessos amorosos por acharem que iriam tornar-se menos desejáveis.

Kenrick, Sundie, Nicastle e Stone, 2001

98

Decida por conta própria

Entre as muitas pressões que sofremos estão as de amigos e familiares que, com a melhor das intenções, perguntam: "Quando vocês vão se casar?" ou "Quando vão ter filhos?". Essas perguntas correm o risco de serem sentidas como pressões para agirmos segundo algum padrão externo. Se valorizarmos muito a pessoa que as faz, poderemos tomar decisões que não dependem de nosso desejo ou de nossas possibilidades. Quando fizer algo, deve ser decisão sua. Não podemos passar nossas vidas procurando a aceitação dos outros, porque isso compromete nossa capacidade de conquistar a aceitação da pessoa mais importante para nós: nós mesmos.

☺ ☺ ☺

"Já tenho idade suficiente para não ter que obedecer a quem quer que seja", disse Roland, um aposentado de setenta e cinco anos. "E ser dono de mim mesmo e da minha vontade é uma das melhores coisas que já experimentei. Gostaria de ser assim há muito mais tempo, mas não foi possível."

Viúvo há dez anos, Roland lembra-se de ter sido empurrado para uma profissão que não escolhera e para um casamento que parecia o mais conveniente e desejável. Durante mais de quarenta anos trabalhou num banco onde seu pai fora gerente e onde fez uma carreira brilhante. Casou-se com uma boa moça, que lhe deu cinco filhos e com quem teve um relacionamento amistoso e agradável.

Foi preciso aposentar-se e ficar viúvo para constatar que passara a vida correspondendo às expectativas alheias. Não que tenha sido infeliz, mas agora, que vive com entusiasmo suas próprias escolhas, Roland se dá conta do que é ser plenamente realizado. Toca clarineta num conjunto local, faz pequenos consertos que exigem a grande habilidade que ficou adormecida durante anos e, sobretudo, casou-se com Emma, por quem se apaixonou. "Por mais que possam achar esquisito, me apaixonei mesmo, aquela coisa de sentir o coração batendo mais forte quando a vejo. Emma é uma pessoa gentil, compreensiva e adorável. Dedica-se inteiramente ao próximo, pensa nos outros e é muito sociável. As pessoas a adoram e ela gosta de estar cercada delas."

Houve alguma resistência em relação ao casamento por parte dos filhos, mas Roland não deu a menor importância. É lindo observar Emma contemplando-o, com os olhos brilhantes, quando ele toca clarineta com a banda local.

☺ ☺ ☺

As pessoas que estavam em busca de um relacionamento e que se sentiam pressionadas por amigos ou familiares apresentaram chances vinte e sete por cento menores de expressar satisfação. As que mantinham um relacionamento e eram pressionadas mostraram-se doze por cento menos propensas a se mostrarem satisfeitas.

Barile, 2001

99

Veja o horizonte, olhe bem onde pisa

Os relacionamentos são construídos sobre valores de longo prazo e ações de curto prazo. Você precisa enxergar os objetivos e necessidades de longo prazo que seu relacionamento irá satisfazer. Essa perspectiva dará ao seu relacionamento o valor que ele tem no presente, que é quando você precisa demonstrar, a cada dia, a cada instante, a sua dedicação a uma relação saudável. Como acontece a tudo o que você realmente deseja nesta vida, é preciso enxergar a esperança de longo prazo e a necessidade de curto prazo.

☺ ☺ ☺

O famoso fotógrafo Alfred Stieglitz ficou aborrecido quando sua esposa, a também famosa pintora Georgia O'Keeffe, começou a insistir em passar o verão no sudeste. Ele preferia uma casa que sua família possuía à beira de um lago. Mas como aquela viagem era importante para Georgia, ela decidiu ir sozinha.

Georgia O'Keeffe contou às amigas como se sentira feliz, leve e livre para determinar o que fazer de seu tempo nas férias de verão. Mas Stieglitz não sentiu da mesma forma. No início, ele considerou a situação como "a experiência mais penosa de sua vida". Escreveu um número incontável de cartas para a mulher. Mas, aos poucos, ele foi encontrando prazer em conviver com os amigos e desenvolveu dois novos interesses: pilotar um hidroavião e ouvir música clássica. Nos verões seguintes, ele também não se juntou à mulher. Mas usufruiu cada volta dela como se a estivesse redescobrindo.

A idéia de férias conjugais – os parceiros ficarem algum tempo separados para renovarem o relacionamento – encontra defensores entre os psicólogos. "Não é para todos", disse a psicóloga Penelope Sanders, "e não estou defendendo a idéia de que todos os casais devam partir para isso. Só estou dizendo que é uma das formas de permitir que cada um siga seus gostos e desejos, desde que não prejudique o outro."

A tendência das pessoas é achar que os casais que dormem separados ou viajam isoladamente estão com problemas. "A idéia de um casamento simbiótico é falsa e muitas vezes sufoca um dos parceiros, ou mesmo os dois. São duas pessoas que se amam e que querem construir uma vida em comum feliz. Por isso mesmo as características e os gostos pessoais têm que ser respeitados." Um homem que ronca à noite, ou uma mulher que perde o sono de madrugada e precisa acender a luz para ler, perturba inevitavelmente o repouso do parceiro e é sensato que, se for possível, durmam separados.

Sanders considera as férias conjugais como um surpreendente investimento de longo prazo: "Você não está abandonando o casamento, mas a rotina diária da vida de casado. Proximidade física não é sinônimo de intimidade emocional." Esse afastamento pode fortalecer os laços entre o casal, incrementando a saúde do relacionamento.

☺ ☺ ☺

As pessoas que estavam felizes em seus relacionamentos apresentaram chances cinco vezes maiores de ter uma perspectiva de longo prazo em suas vidas. Em vez de apenas pensar no futuro próximo, pensam sobre o futuro mais distante e investem para construí-lo.

Arriaga e Agnew, 2001

100

A busca pela perfeição é interminável

Existe uma diferença entre procurar algo saudável e satisfatório e procurar algo que seja perfeito. A diferença é que o saudável e o satisfatório existem; a perfeição, não. Seu relacionamento deve contribuir para a sua felicidade e a de seu parceiro. Não espere alguém que concorde com todos os seus pensamentos e preferências ou que possa trazer alegria a cada minuto de sua vida. Procure a satisfação possível, e você irá encontrá-la; procure a perfeição, e ficará procurando para sempre.

☺ ☺ ☺

"Acho que você só conhece mesmo uma pessoa quando tem que compartilhar a sua vida com ela", disse Christine, uma programadora de computadores. Ela não tinha certeza do que fazer depois que se mudou para a casa do namorado, Mike. "Por um lado ele era uma pessoa legal e eu gostava muito dele. Mas, por outro, passei a conviver com vários aspectos que me desagradavam: o chulé dele, o fato de não abaixar o tampo da privada, de se apoderar do controle remoto e ficar pulando de canal em canal. Sinceramente, eu não tinha certeza de que era isso o que desejava para o resto da vida."

Eles viveram juntos durante um ano e, com altos e baixos, pareciam felizes. Então, uma noite, ao assistirem ao filme *Proposta Indecente,* ela lhe perguntou se ele a trocaria por um milhão de dólares. Ele a abraçou com força e respondeu que nem por dez milhões.

"Naquele momento eu me dei conta do quanto o amava e de que queria passar o resto da vida ao lado dele", disse ela. "Também percebi que a felicidade no casamento era uma coisa a ser construída dia após dia, e não um pacote perfeito que se recebia pronto. Então comecei a sentir liberdade para falar das coisas que me incomodavam. Acho que consegui fazer isso porque não se tratava de ataque ou pura reclamação irritada, mas de um movimento de amor, de investimento na nossa felicidade." Pouco tempo depois eles se casaram. "Simplesmente percebi que ele era a pessoa certa para mim. Meus pais acharam que fui muito impulsiva e que não daria certo. Mas eu não os ouvi. Apenas segui o meu coração."

São felizes até hoje. O que não impede que Mike jogue sua roupa suja no chão do quarto e que, muitas vezes, Christine se exalte além da conta quando discutem. São muitos os pequenos fatores de atrito, mas ambos sabem que são duas pessoas com semelhanças e diferenças, pontos fortes e fracos, e que há um grande desejo de acertar, porque há uma total convicção de que se amam e desejam ficar juntos até o fim da vida.

☺ ☺ ☺

As pessoas com alto grau de perfeccionismo, uma crença exagerada em sua própria perfeição e um desejo de encontrar um parceiro com características semelhantes apresentam chances trinta e três por cento menores de se sentirem satisfeitas em seus relacionamentos.

Flett, Hewitt, Shapiro e Rayman, 2002

Conheça outros títulos de David Niven

Os 100 Segredos das Pessoas Felizes

Baseado em pesquisas e estudos de cientistas junto a milhares de pessoas, o psicólogo e cientista social David Niven descobriu os 100 segredos mais simples que são realmente capazes de tornar as pessoas felizes.

E como a leitura de um complicado tratado científico pode ser causa de infelicidade, esses segredos são apresentados de forma interessante e com exemplos que vão nos fazer identificar as situações descritas e compreendê-las.

Os 100 Segredos das Pessoas de Sucesso

O sucesso, muitas vezes, é confundido com fama e dinheiro. Ouvimos histórias de pessoas que se tornaram famosas antes dos 20 anos ou que ganharam seu primeiro milhão aos 30 e achamos que esse é o único caminho para a felicidade. Não é.

Baseado em centenas de estudos científicos, David Niven organizou a lista dos 100 segredos mais simples que podem nos ajudar a ser bem-sucedidos.

Neste livro, ele se debruça sobre as pesquisas que identificaram as práticas, princípios e crenças necessários para se ter sucesso. De forma simples e agradável, apresenta em cada capítulo uma dessas conclusões, acompanhada de um exemplo real e de um conselho que você deve colocar em prática se quer realmente “chegar lá”.

Conheça outros importantes livros da Editora Sextante

Augusto Cury

Você é Insubstituível

Este livro fala do amor pela vida que pulsa em cada ser humano. Ele conta a sua biografia. Se até hoje sua história nunca foi contada em um livro, agora ela será, pelo menos em parte. Você descobrirá alguns fatos relevantes que o tornaram o maior vencedor do mundo, o mais corajoso dos seres, o que mais cometeu loucuras de amor para poder estar vivo.

Dez Leis para ser Feliz

Ser feliz não é ter uma vida perfeita. Ser feliz é reconhecer que vale a pena viver, apesar de todos os desafios, perdas e frustrações, é deixar de ser vítima dos problemas e se tornar autor da própria história.

Dez Leis para Ser Feliz traz ferramentas essenciais para quem quer encontrar esperança na dor, força no medo e amor nos desencontros. Ser feliz é uma conquista e não obra do acaso.

Revolucione Sua Qualidade de Vida

As pessoas não se dão conta das pequenas mudanças que destroem seus relacionamentos, metas, carreira, saúde física e emocional. Muitos jovens só enxergam que estão com problemas quando se tornam adultos frustrados. Neste livro, você vai aprender a gerenciar seus pensamentos, trabalhar suas perdas, se tornar líder de si mesmo e ser feliz.

Allan e Barbara Pease

PORQUE OS HOMENS FAZEM SEXO E AS MULHERES FAZEM AMOR?

"Este livro é leitura obrigatória para todos os homens e mulheres que se amam, se odeiam ou simplesmente convivem. Você vai aprender sobre si, sobre o sexo oposto e como melhorar seus relacionamentos." (Dr. Denis Waitley, autor de *Impérios da Mente)*

Neste livro você vai conhecer os importantes avanços da ciência da evolução humana e como suas descobertas se aplicam ao relacionamento entre homens e mulheres. Serão apresentadas algumas conclusões perturbadoras e controvérsias vão surgir, mas vamos nos reconhecer, entender melhor muitas coisas e, certamente, aprender a conviver melhor.

PORQUE OS HOMENS MENTEM E AS MULHERES CHORAM?

Com base em pesquisas e estudos científicos, os autores de *Por que os Homens Fazem Sexo e as Mulheres Fazem Amor?* – que vendeu mais de 6 milhões de exemplares ao redor do mundo – explicam o comportamento sempre imprevisível do "outro sexo". De forma clara e bem-humorada, eles respondem às nossas principais dúvidas e apresentam soluções práticas para tornar a convivência entre homens e mulheres mais prazerosa.

Iyanla Vanzant

Enquanto o Amor Não Vem

Haverá um momento em sua vida em que o amor vai chegar. Antes disso, você terá feito tudo o que podia, tentado tudo o que podia, sofrido o quanto podia e desistido muitas vezes.

Mas posso lhe garantir que esse dia virá. Este livro vai lhe contar muitas histórias e ensinar como se preparar para o dia mais feliz de sua vida: o dia em que vai experimentar o amor verdadeiro.

A Vida Vai Dar Certo para Mim

Este livro é um guia para o crescimento pessoal e espiritual, uma esplêndida oportunidade de você se conhecer e descobrir a essência do seu ser. Quando você se dedica a curar o seu mundo interior, se amando e se respeitando, todas as riquezas vêm até você. Com a intensidade e a beleza de suas palavras, Iyanla Vanzant oferece 365 lições de vida, uma para cada dia do ano.

Jack Canfield e Mark V. Hansen

Histórias para Aquecer o Coraçáo

Um dos maiores fenômenos editoriais dos últimos tempos, *Histórias para Aquecer o Coração* traz 50 histórias de amor, sabedoria e vida, cada uma delas com um significado especial. Elas alegram, comovem, reacendem a esperança e estimulam o desejo de empenhar-se para amar e viver plenamente. São histórias que fazem bem à alma e aquecem o coração.

Informações sobre os próximos lançamentos

Para receber informações sobre os próximos lançamentos da Editora Sextante, queira entrar em contato com nossa Central de Atendimento, dando seu nome, endereço e telefone para:

Editora Sextante
Rua Voluntários da Pátria, 45 – Gr. 1.404 – Botafogo
22270-000 – Rio de Janeiro – RJ
Tel.: (21) 2286-9944 – Fax: (21) 2286-9244
DDG: 0800-22-6306 (ligação gratuita)
E-mail: atendimento@esextante.com.br

Para saber mais sobre nossos títulos e autores, e enviar seus comentários sobre este livro, visite o nosso site:

www.sextante.com.br

Impresso em papel Chamois Bulk Alta Performace Dunas 90g/m² da Ripasa S/A, fabricado em harmonia com o meio ambiente.